O9-BTM-396

LEMONY SNICKET:

NIEAUTORYZOWANA AUTOBIOGRAFIA

Tłumaczenie Jolanta Kozak

EGMONT

Tytuł oryginału: *Lemony Snicket: The Unauthorized Autobiography*

First Edition, 2002 HarperCollins
Published by arrangement with HarperCollins Children's Books,
a division of HarperCollins Publishers, Inc.

Biblioteka Narodowa: Snicket, Lemony
Lemony Snicket: Nieautoryzowana autobiografia
Streszczenie: Nieuchwytny autor dajc pobieżny wgląd w swoje tajemnicze i chwilami powikłane życie, wykorzystując w tym celu dziwaczne listy, fragmenty dzienników i rozmaite inne dokumenty, jak również fotografie i rysunki.

Redakcja: Hanna Baltyn
Korekta: Anna Sidorek, Agnieszka Sprycha

Wydanie pierwsze, Warszawa 2004

Wydawnictwo Egmont Polska Sp. z o.o.
ul. Dzielna 60, 01-029 Warszawa
tel. (0-22) 838 41 00
www.egmont.pl/ksiazki

ISBN: 83-237-2105-X

Opracowanie typograficzne i łamanie: SEPIA, Warszawa
Druk: Edica SA

 PRZEDMOWA 

DANIEL HANDLER

JAKO OFICJALNY PRZEDSTAWICIEL LEMONY SNICKETA w kwestiach prawnych, literackich i towarzyskich, bywam niejednokrotnie adresatem trudnych pytań, i to nawet wtedy, kiedy się spieszę. Ostatnio najczęściej słyszę następujące pytania:

1. Może mi pan zejść z drogi?

2. Skąd pochodzi książka Lemony Snicketa *Lemony Snicket: Nieautoryzowana autobiografia*?

Odpowiedź na każde z tych dwóch pytań wymaga obszernych wyjaśnień, więc odpowiem tylko na jedno, bo na drugie nie starczy miejsca. Pochodzenie *Nieautoryzowanej autobiografii* jest do pewnego stopnia owiane mgłą tajemnicy – co tu znaczy: „enigmatyczne" – a swój początek bierze z listu, który otrzymałem niedawno od wydawcy tej książki.

List zaczyna się słowami:

Szanowny Panie Handler!

Zwracamy się do Pana jako oficjalnego przedstawiciela Lemony Snicketa w kwestiach prawnych, literackich i towarzyskich, w związku z dość enigmatyczną – co tu znaczy: „tajemniczą" – sprawą, która przyciągnęła ostatnio naszą uwagę.

Wszystko zaczęło się nie tak dawno temu w biurze naszego wydawnictwa. Jak Pan zapewne sobie przypomina, nasze biuro mieści się w wysokim, imponującym biurowcu z szerokim, imponującym hallem i imponującym, podstarzałym portierem, który zwykle nosi zbyt luźny płaszcz, stoi przy wejściu i wskazuje gościom drogę do windy. Krytycznego dnia dyżur przy drzwiach pełnił portier, który od ponad dwudziestu siedmiu lat prowadzi drobiazgowy pamiętnik, notując w nim długopisem wszelkie szczegóły swojego życia, a gdy wypisze mu się długopis i w pobliżu nie ma sklepu z artykułami papierniczymi, korzysta w tym celu z kawałka węgla. Wzmiankowany portier głównie po to najął się do pilnowania drzwi biurowca, w którym mieści się nasze wydawnictwo, aby spełnić swoje marzenie o publikacji wspomnianego pamiętnika w formie książkowej. Każdego z pracowników wydawnictwa wita więc w drzwiach uśmiechem i podaniem ręki, a ściskając dłoń redaktora, wsuwa w nią niepostrzeżenie parę stronic swojego pamiętnika, żywiąc nadzieję, że zostaną one przeczytane i z portiera zmienią go w pisarza.

Owego dnia rzuciłem okiem na pomięte, zabazgrane węglem stronice, wciśnięte mi do ręki przez portiera, i oko moje padło na słowo

SNICKET

Nie muszę chyba wyjaśniać, że całe nasze wydawnictwo niepokoi się o los Lemony Snicketa, odkąd przeczytaliśmy jego nekrolog w „Dzienniku Punctilio". To oczywiste, że nie można wierzyć we wszystko, co się przeczyta w gazecie – ponieważ jednak od dłuższego czasu czekaliśmy na wiadomość o Lemonym Snickecie i postępie jego prac nad sprawą Baudelaire'ów, bez wahania rozwinąłem otrzymane stronice pamiętnika i przeczytałem je, jadąc windą na górę do redakcji.

Kochany Pamiętniku, zaczynał się pamiętnik – donosił dalej list.

Wieje dziś wyjątkowo zimny i kąśliwy wiatr, tak zimny i kąśliwy, jak filiżanka gorącej czekolady, o ile dodać do niej octu i wstawić na parę godzin do zamrażalnika. Pomijając jednak pogodę, dzisiejszy dzień był całkowicie normalny – normalny jak stado skrzydlatych fok jeżdżących w kółko na monocypedach, zakładając, rzecz jasna, że się żyje gdzieś, gdzie takie obrazki są na porządku dziennym – a więc jak najbardziej normalny, dopóki w obrotowych drzwiach naszego biurowca nie ukazała się tajemnicza – co tu znaczy: „nieodgadniona" – postać.

Postać była kobietą, wzrostu, mniej więcej, niedużego krzesła, w wieku, mniej więcej, kogoś, kto już od dobrych paru lat nie chodzi do przedszkola. Ubrana była wyłącznie w artykuły odzieżowe, a na nogach nie miała nic prócz pary skarpetek i dwóch butów. Desperackim spojrzeniem obrzuciła hall biurowca, pusty jak ul, z którego wywabiono wszystkie pszczoły – po czym wcisnęła mi do rąk plik papierów i przemówiła głosem, który do złudzenia przypominał jej własny.

Wyjaśniła mi, że papiery dostała od nieznajomego, który opowiedział jej następującą historię:

Pewnego bardzo chłodnego dnia, nie tak dawno temu, pewien znajomy starszy pan zaprosił mnie na kolację w pewnym klubie w pewnej dzielnicy, o której nigdy przedtem nie słyszałem. Mój znajomy starszy pan należał do owego klubu w czasach, gdy jeszcze mieszkał w naszym mieście, więc ilekroć teraz przebywał w nim przejazdem, był tam bardzo mile widziany. Klub mieścił się w ogromnej, imponującej willi, która była pomalowana na zielono, a na drzwiach miała wypalony duży, imponujący emblemat.

Nie podejmuję się opisać owego emblematu – mój talent pisarski, że się tak skromnie wyrażę, pozostawia wiele do życzenia – ale postaram się odtworzyć go jak najdokładniej. Oto on:

Obiad był pyszny, mój znajomy starszy pan miał świetny humor – a jednak od czasu do czasu posyłał mi ukradkiem tajemniczy uśmieszek, jakby trzymał w zanadrzu jakiś nieodgadniony – co tu znaczy: „podejrzany" – sekret, ale odkładał go na deser. Na deser jednak podano nam nie podejrzany sekret, tylko podejrzany pudding.

Po puddingu mój znajomy starszy pan oddalił się wraz ze mną do wielkiego, imponującego salonu na poobiedni kieliszeczek brandy, a nieodgadniony uśmieszek zjawił się z powrotem na jego twarzy, kiedy przyłączyło się do nas znaczne grono nieznanych mi starszych panów, zgromadzonych tam najwyraźniej na jakimś zebraniu. Ponieważ nie byłem członkiem klubu, zaproponowałem, że wyjdę, na co mój znajomy starszy pan zapewnił mnie, że zebranie może mnie szczerze zainteresować, więc zostałem. Bez żadnych wstępów jeden z nieznajomych mi starszych panów wydobył spomiędzy fałdów płaszcza plik pożółkłych arkuszy pergaminu, związany sznurkiem. Plik ten był mi jeszcze mniej znajomy niż którykolwiek z nieznajomych starszych panów, więc przysunąłem się bliżej z krzesłem, aby zapoznać się z nim nieco lepiej. Nieodgadniony uśmieszek zniknął z twarzy nieznajomego mi starszego pana, gdy jego palce, przytwierdzone, rzecz jasna, do jego ręki, rozplątywały sznurek, po czym nieznajomy mi starszy pan odchrząknął, obrzucił zebranych przelotnym spojrzeniem i przemówił – nie umiałem jednak odgadnąć, czy czyta pierwszą stronę manuskryptu, czy też mówi do nas od siebie. Powiedział:

Członkowie klubu, szanowni goście i czcigodne księżne, o ile znajdujecie się wśród nas w przebraniu.

Waham się, czy zdradzić wam, jakim sposobem ten oto plik informacji dotyczących pana

SNICKETA

wszedł w moje posiadanie. Wiadomo doskonale, że nie ma lepszego sposobu na zmylenie czujności wroga niż sfabrykować długą, fałszywą opowieść o tym, jak dany przedmiot został nam przekazany przez tajemniczego nieznajomego, lub o tym, jak to ni stąd, ni zowąd otrzymaliśmy list bądź wiadomość na kartce, ukrytą w podanej nam na powitanie dłoni i całkowicie nieczytelną. Dlatego nie opowiem państwu następującej historii:

Moja ciotka, która albo nazywa się Julie Blattberg, albo kryje się w mojej opowieści pod przybranym imieniem Julie Blattberg, wręczyła mi mały kluczyk, który otwierał szkatułkę, w której znajdował się mały kluczyk, który otwierał następną szkatułkę, w której znajdowały się informacje stanowiące treść tej książki, i kazała mi przysiąc, że nigdy nie opowiem o tym publicznie, nawet w wielkim, imponującym salonie podejrzanego – co tu znaczy: „enigmatycznego" – klubu dżentelmenów, wobec zaufanych wspólników delektujących się poobiednim kieliszeczkiem brandy…

Co mi przypomina, czytamy dalej w liście, że sam chętnie napiłbym się brandy. Przepraszam na chwileczkę.

Dziękuję państwu. Jak już mówiłem, gdybym oświadczył, że ciotka zobowiązała mnie pod przysięgą do przekazania niniejszego pliku informacji jedynie rodzonej bratanicy albo bratankowi – a nie mam ani bratanicy, ani bratanka, i nie spodziewam się mieć ani jednej, ani drugiego, przez wzgląd na wysypkę mojego brata – i tak by mi państwo nie uwierzyli, więc oszczędzę sobie dalszych wstępów do tej autobiografii, pozostawiając jedynie trzy zdania:

1. Książka ta nie wygląda na fałszerstwo – co nie znaczy, że opowiedziana w niej historia jest prawdziwa – znaczy tylko, że jest dokładna.

2. Jest to niewątpliwie książka autorstwa pana Snicketa – co nie znaczy, żc nikt w to nie wątpi.

3. Książka podzielona jest mniej więcej na trzynaście części, z których każda ma w tytule pytanie. Nie wiadomo, czy podziału dokonał pan Snicket, czy osoba postronna, chociaż pan Snicket rzadko staje po czyjejś stronie. Podajemy listę trzynastu pytań stanowiących tytuły rozdziałów:

SPIS TREŚCI

To nie są właściwe pytania.
W celu zachowania jak największej
dokładności, rzetelności i dostępności
akt Baudelaire'ów wszystkie tytuły
zostały zmienione.

—L S

Szanowny Wydawco!

Proszę zmienić tekst noty od wydawcy na następujący:

Trzynaście rozdziałów *Nieautoryzowanej Autobiografii Lemony Snicketa* w ogóle nie nadaje się do czytania.

– L.S.

Nota od wydawcy:

Trzynaście rozdziałów książki *Lemony Snicket: Nieautoryzowana autobiografia* można czytać w dowolnej kolejności.

Zmieniona nota od wydawcy:

Autorką niektórych zdjęć w tej książce jest Julie Blattberg.

Szanowny Wydawco!

Proszę zmienić tekst zmienionej noty od wydawcy na następujący:

Autorką niektórych zdjęć w tej książce nie jest Julie Blattberg.

– L.S.

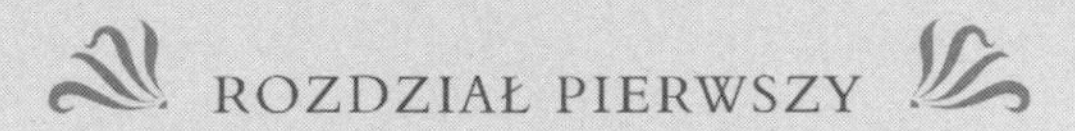

ROZDZIAŁ PIERWSZY

~~Dlaczego gazety~~

~~pisały o śmierci~~

~~pana Snicketa?~~

DZIENNIK PUNCTILIO

„Wszystkie wieści w zwięzłej treści"

Nekrologi

Lemony Snicket – pisarz i uciekinier

Zmarł Lemony Snicket, autor *Serii niefortunnych zdarzeń*, rzekomo prawdziwej kroniki wypadków z życia sierot Baudelaire – o czym doniosły dziś anonimowe i niezbyt wiarygodne źródła. Wiek zmarłego określono jako „wysoki, oczy piwne". O ile wiadomo, zmarły nie pozostawił rodziny.

Urodzony w oborze, a nie w szpitalu położniczym, rozpoczął obiecującą karierę naukową, najpierw na naszych łamach, jako (w każdym sensie) krytyk teatralny, a następnie jako autor kilku obiecujących antropomorficznych elaboratów – czytaj: „nieznośnie długich tekstów specjalistycznych". Okres sukcesów zawodowych – i nieodwzajemnionej, podobno, miłości – skończył się nagłym skandalem, gdy ujawniono powiązania zmarłego z WZS, o czym donosiliśmy na naszych łamach.

L. Snicket zbiegł wówczas przed wymiarem sprawiedliwości. Widywano go potem rzadko i głównie od tyłu. Kilkakrotne obławy nie przyniosły rezultatu. Wszystko wskazuje jednak na to, że nareszcie historia sierot Baudelaire – i samego L. Snicketa – dobiegła końca.

Ponieważ nie wiadomo dokładnie, kiedy, gdzie, w jakich okolicznościach i dlaczego nastąpił zgon L. Snicketa, nabożeństwo żałobne nie jest planowane. Pogrzeb, być może, odbędzie się w najbliższych miesiącach.

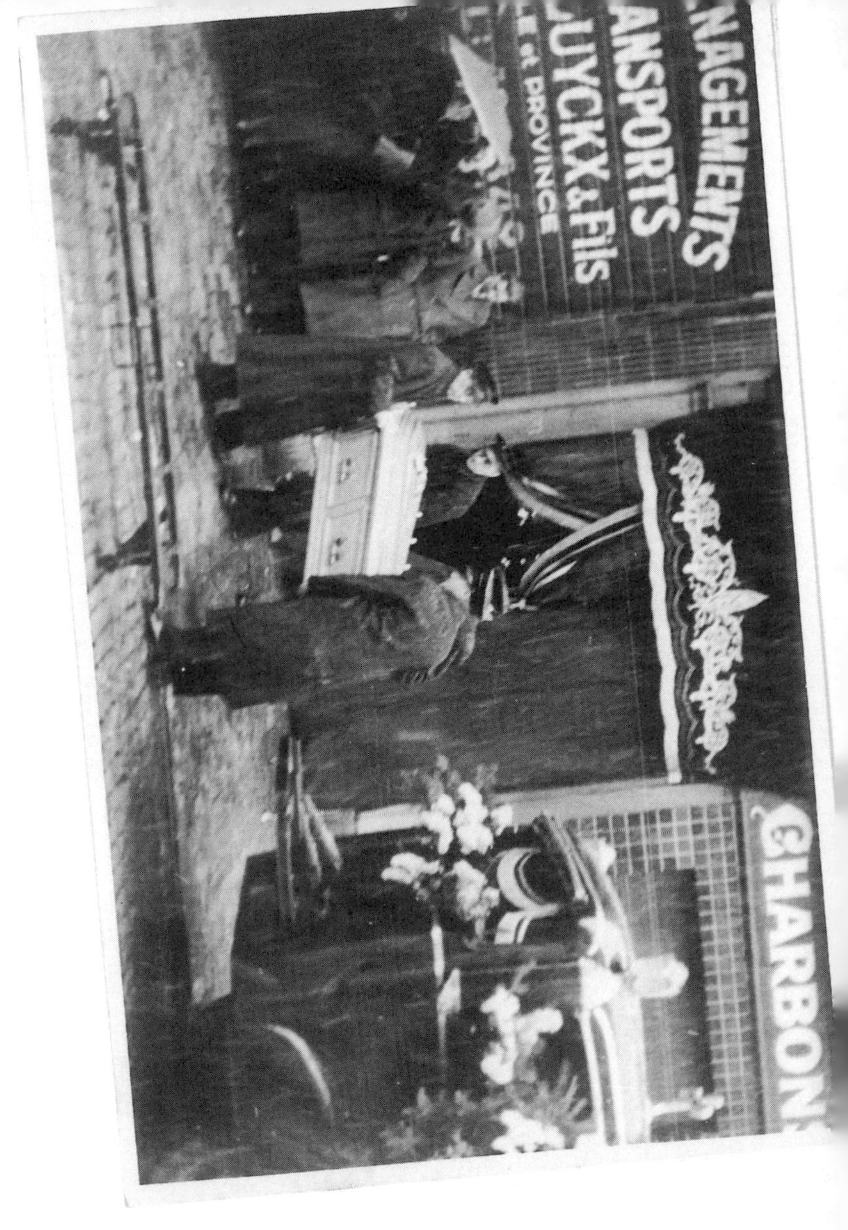
NAGEMENTS
ANSPORTS
UYCKX & Fils
PROVINCE
CHARBON

ZAŁĄCZNIK DO AKT:

Do portu zajechałem wcześnie i mam jeszcze parę minut przed planowym przybyciem statku „Prospero", postanowiłem więc wystosować parę słów w związku z doniesieniem o mojej śmierci, równie alarmującym, jak niezgodnym z prawdą. Pragnę poinformować, że dzisiaj o godzinie szesnastej trzydzieści jestem jak najbardziej żywy, i bez wątpienia byłem żywy w dniu, w którym, pijąc popołudniową herbatę w Café Kafka, przeczytałem swój nekrolog w gazecie.

„Dziennik Punctilio" nigdy nie zaliczał się do gazet wiarygodnych: ani kiedy ja sam w nim pracowałem w ramach realizacji moich tajnych zadań, ani kiedy ta beznadziejna reporterka wzięła się do opisywania sprawy Baudelaire'ów, ani parę dni temu, gdy zamieściliście reklamę wyprzedaży trzyczęściowych garniturów w sklepie, który, jak się potem okazało, handluje wyłącznie perskimi dywanami. W przeciwieństwie do gazet wiarygodnych, które informacje swoje opierają na faktach, „Dziennik Punctilio" polega na pogłoskach, czyli „insynuacjach pochodzących od ludzi, którzy wydzwaniają do redakcji i opowiadają najróżniejsze, niekoniecznie prawdziwe historie".

Jedyną prawdą w moim nekrologu było ostatnie zdanie – istotnie, dziś rano miałem wątpliwą przyjemność uczestniczyć we własnym pogrzebie. Ku mojemu zdumieniu na pogrzeb przyszło mnóstwo ludzi – głównie czytelników „Dziennika Punctilio", którzy śledzili artykuły na mój temat i chcieli mieć pewność, że notoryczny przestępca nareszcie padł trupem. Ludzie stali bez słowa, bez ruchu, bez tchu – zupełnie jakby również ich nekrologi wydrukowano w „Dzienniku Punctilio". Gdy wnoszono moją trumnę do długiego, czarnego karawanu, stałem z boku, zasłaniając twarz parasolką. Ciszę mącił tylko miarowy *pstryk!* aparatu fotograficznego.

Zdarza się, że czytając pasjonującą książkę, tak dalece ulegamy iluzji postaci i akcji, że zupełnie zapominamy o autorze, nawet jeśli grozi mu wielkie niebezpieczeństwo i byłby nam szczerze zobowiązany za pomoc. Podobnie bywa przy oglądaniu fotografii. Bez reszty pochłonięci tym, co fotografia przedstawia, zapominamy o człowieku po drugiej stronie obiektywu. Całe szczęście, że mnie się to nie przytrafiło i zauważyłem w tłumie żałobników osobę, wykonującą zdjęcie, dołączone, jak mniemam, do niniejszych akt. Fotograf stoi w siódmym rzędzie, dwunasty od lewej. Jak widać, schował (lub schowała) aparat fotograficzny za osobą jedenastą od lewej. Sporządzam tę notatkę, czekając na statek w otulonej mgłą zatoce, aby

„Prospero" właśnie dobił do brzegu, więc kończę i dołączam niniejszą notatkę do listu w sprawie omyłki w mojej dacie urodzenia, który napisałem przed laty do prof. Pattona. To doprawdy przykre, że całe moje życie, od kołyski aż po grób, jest jednym wielkim pasmem omyłek. Pocieszam się tylko myślą, że podobny los nie spotka sierot Baudelaire.

Dr Charley Patton
Adiunkt Katedry Piosenki Ludowej
Instytut Precyzji Muzycznej im. Skriabina

Szanowny Panie Profesorze!

Z niemałą ulgą przeczytałem Pański list dotyczący ballady ludowej „Mały Snicket". Jak Pan łaskawie zauważył, jest to jedna z najpopularniejszych ballad w naszym regionie. Ilekroć odwiedzam rodzinne strony, słyszę ją odtwarzaną w teatrach, karczmach i sklepach spożywczych – na ogół z towarzyszeniem akordeonu. Przyznaję, że melodia ballady jest miła dla ucha, jednak jej tekst nie przedstawia rzetelnie dziejów mojego dzieciństwa – korzystam więc z okazji, aby wreszcie skorygować nieścisłości.

Proszę wybaczyć bezceremonialność mojej odpowiedzi – załączam w niej po prostu krótkie uwagi do tekstu piosenki, który był Pan łaskaw mi przesłać. Szykuję się właśnie do ślubu i nie mam czasu na rozwinięte, uczone wywody, jakie zazwyczaj pisuję w podobnych okolicznościach.

Mały Snicket
Strofa pierwsza:
Było sobie gospodarstwo
nad jeziorem pełnym żab.
Żyła tam kobieta w ciąży
i jej mąż imieniem Żak.
Choć mieszkali w pięknym domu
na Złodziejskiej trzy od lat,
to w oborze, nie w salonie
mały Snicket ujrzał świat.

Nieścisłość pierwszą mamy już w pierwszym wersie pierwszej strofy: nie urodziłem się – i to nawet w najmniejszym stopniu – w oborze. Za sprawą ballady *Mały Snicket* ta fałszywa pogłoska prześladuje mnie przez całe życie – spodziewam się więc, że i w moim nekrologu znajdzie się kiedyś informacja, jakobym przyszedł na świat w oborze. Ja tymczasem wcale nie urodziłem się w oborze. Na dowód prawdziwości swoich słów załączam fotografię miejsca moich narodzin: widać je po drugiej stronie „jeziora pełnego żab", które zimą pokryło się lodem:

Jak widać na załączonej fotografii, Wielkomiejskie Zakłady Serowarskie hodujące na swoim terenie ponad trzysta krów, nie dysponują oborą, lecz kompleksem nowoczesnych biurowców. To pozornie drobna różnica, ale z pewnością nie dla krowy i nie dla noworodka, którym byłem, rodząc się tam (tylko dlatego, że rodzice moi w najmniej odpowiednim momencie zatrzymali się, aby nabyć masło czosnkowe), gdzie przy okazji zawarłem znajomość z zamieszkałymi na terenie zakładów serowarami. Osoby te, których nazwisk nie wymienię, pozostają do dziś w zażyłych stosunkach z moją rodziną. Wiem, jak bardzo ryzykuję, udzielając tej informacji komukolwiek – nawet takiemu naukowcowi jak Pan Profesor – jednak w ramach współpracy z bohaterami ballady *Mały Snicket* często przekazuję tajne informacje, niekiedy ukrywając je w listach z angielskim nagłówkiem „Drogi Ser!". W razie przechwycenia taki list zostanie zlekceważony jako prywatna korespondencja serowarów lub fragment czyjegoś pamiętnika z błędem ortograficznym.

Psiakość!

Pozostałe nieścisłości są mniej istotne. Stwierdzenie, że miałem ojca „imieniem Żak", nie jest do końca prawdą, gdyż wszyscy – poza stałym partnerem ojca do brydża – mówili mu Jakub. Nazwa ulicy też się nie zgadza: ulica Złodziejska biegnie daleko od mego domu rodzinnego – przypuszczam, że w balladzie użyto jej dla podkreślenia złodziejskiej natury refrenu:

Niejednokrotnie i bezskutecznie usiłowałem potwierdzić datę mego porwania w porządnym almanachu, nie udało mi się jednak ustalić, czy istotnie tej doby nocka była „ciemna”. Mogę w tej sprawie polegać jedynie na almanachu, gdyż sam nie pamiętam. Wyniesiono mnie z kuchni, trzymając za nogi, jak nakazuje zwyczaj – a więc głową w dół. Z tego powodu nie mogłem zobaczyć nieba, a okna automobilu, którym mnie porwano, były przyciemnione i wszystko widziałem w ciemnych barwach, oddalając się coraz bardziej od domu.

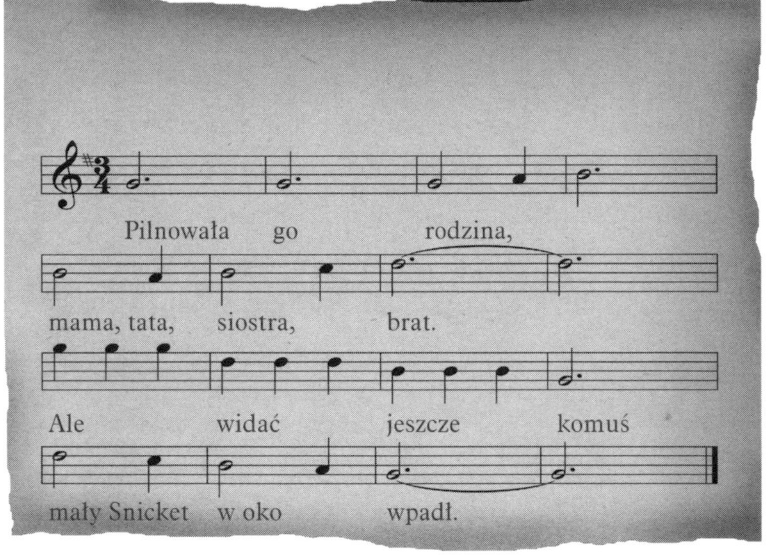

To prawda, że byłem dzieckiem wyjątkowo inteligentnym, a mleko ssałem chętnie, jak wszystkie niemowlęta wolne od alergii na białko. Ale wersy strofy drugiej to kompletna bzdura. Moi rodzice nigdy nie pozwoliliby sobie na takie luksusy jak srebrna kołyska i jedwabne pieluszki – patrz poniższa fotografia. Wręczono mi ją w czarnym aucie, na dowód tego, że istotnie już dawno „wpadłem w oko" pasażerom owego pojazdu. Niniejszym powierzam to zdjęcie Panu Profesorowi.

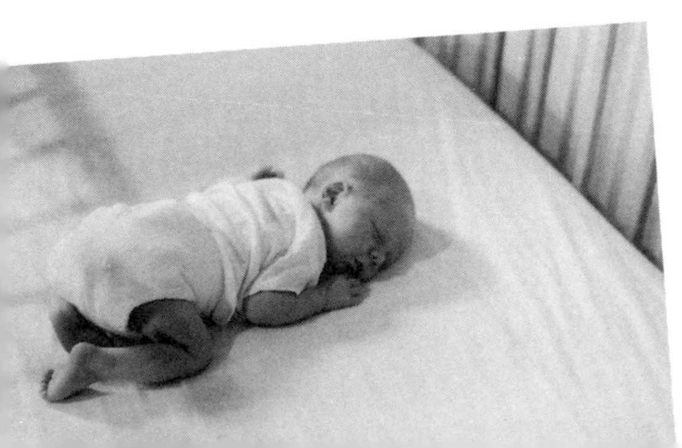

Na zasadnicze pytanie brak, niestety, odpowiedzi,

gdyż osoby mogące jej udzielić albo nie żyją, albo ukrywają się, albo są moimi wrogami. Zasadnicze pytanie brzmi: „Kto to zrobił?". Chodzi nie tylko o zdjęcie. To samo pytanie zadała moja matka, gdy fatalnego dnia wróciła do domu i zamiast trójki stęsknionych dziatek zastała tam jednego zmartwionego męża i dwie niedopite filiżanki herbaty.

Od dawna drażni mnie to, że ballada sugeruje, jakobym został porwany w pieluszkach. Znam nawet inną wersję tego utworu, wykonywaną na północy, gdzie w drugiej części refrenu śpiewa się tak:

Ale tekst piosenki to żaden dowód – dowodem są zdjęcia. W chwili porwania od dawna już nie raczkowałem. W tym miejscu wkleję swoją fotografię z okresu, w którym zostałem uprowadzony. (Gdybym jej nie znalazł, wkleję zdjęcie innego dziecka w tym samym mniej więcej wieku).

Przejdźmy do strofy trzeciej.

To się mniej więcej zgadza, w związku z czym moja matka bardzo żałuje, że nie odłożyła wyprawy do młyna na następny dzień i nie została wtedy w domu, żeby się z nami pożegnać. Mój brat, co prawda, utrzymuje, że pozwolono mu przed odjazdem dopić herbatę, ale od lat zdania na ten temat są podzielone.

Zauważyłem właśnie, że słowo „nigdy” w drugiej strofie refrenu to przesada. Bliższe prawdy byłoby zastąpienie wersu „I nigdy nie oddali” wersem: „I rzadko oddawali” – chociaż tragizm ballady znacznie by na tym ucierpiał.

I wreszcie koda – czyli „końcowy fragment, który wielce nas intryguje”.

To zgadza się całkowicie. Nie rozumiem tylko, dlaczego cała koda ujęta jest w cudzysłów.

Mam nadzieję, że powyższe uwagi pomogą Panu Profesorowi w jego ofiarnej pracy.

Z całym należnym szacunkiem

Lemony Snicket

PS Załączony przez Pana Profesora zapis muzyczny jest całkowicie błędny – moim zdaniem, są to nuty popularnej ballady o katastrofie na morzu. Postaram się nagrać właściwy utwór i przesłać Panu Profesorowi na taśmie magnetofonowej.

PPS Wątpię, czy zdołam pomóc Panu Profesorowi w sprawie drugiej wspomnianej ballady. Skonsultuję się jeszcze z K., ale osobiście nie znam żadnego pracownika Wielkomiejskich Zakładów Serowarskich o nazwisku Old Macdonald; nie sądzę też, aby „I.A.I.A.O." było skrótem nazwy jakiejkolwiek tajnej organizacji.

„Gdy z kuchni go porwali,
on im na ziemię spadł.
I cichcem, na czworakach,
próbował wleźć w świat”.

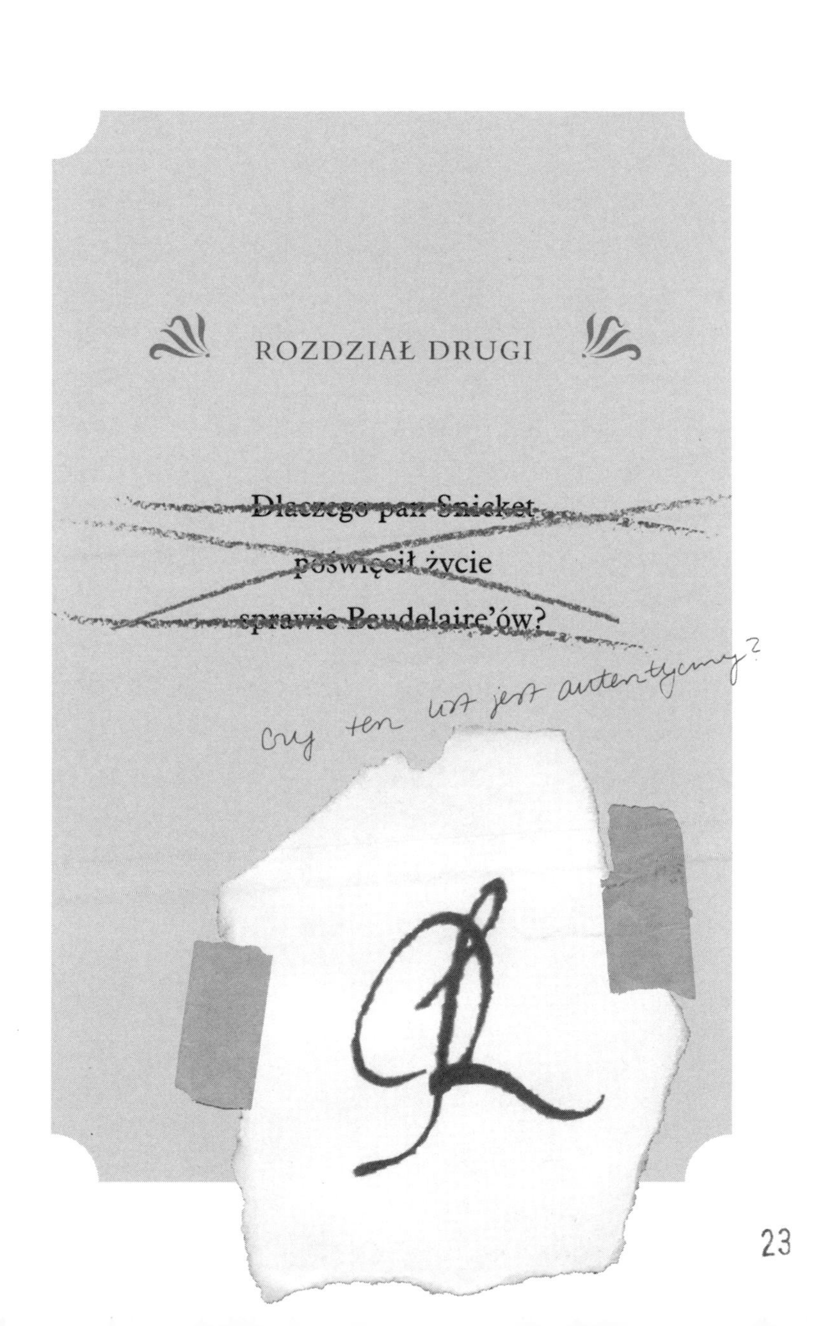
ROZDZIAŁ DRUGI
~~Dlaczego pan Snicket poświęcił życie sprawie Baudelaire'ów?~~
Czy ten list jest autentyczny?

❄ ❄ ❄ ❄ ❄ ❄ ❄ ❄ ❄ ❄ ❄ ❄ ❄

Vivez l'esprit

Drogi Panie Snicket!

Dzięki Bogu, że jest pan żywy i względnie zdrów! Wczoraj wieczorem przed budynkiem Obserwatorium Orion, gdzie przybyłam, aby wygłosić doroczny wykład na forum Towarzystwa Meteorologicznego, zauważyłam, że ktoś włamuje się do granatowego dżipa w południowo-zachodnim kącie parkingu, i serce podskoczyło mi z radości na myśl, że może jednak Pan żyje. Nie spodziewałam się potwierdzenia tej nadziei aż do chwili, gdy woźny wręczył mi Pański list. Ryzykował Pan wielce, nawiązując kontakt ze mną, ale cieszę się, że Pan to zrobił. Przykro mi, że nie zdołałam udaremnić, a przynajmniej opóźnić, Pańskiego pojmania na balu maskowym u mnie w domu. Proszę mi wierzyć, że przez wszystkie lata, które minęły od tamtego wieczoru, zamartwiałam się nieustannie, że Pan nie żyje, pomimo plotek o Pańskiej działalności krążących w gronie naszych lojalnych towarzyszy. Niewielu nas zostało, Panie Snicket, lecz gotowi jesteśmy świadczyć Panu wszelką możliwą pomoc.

Niestety, nie potrafię odpowiedzieć na pytanie, które przesłał mi Pan na papierku od gumy do żucia. Nasz bal maskowy był ostatnią publiczną imprezą, na której odważyli się spotkać członkowie naszej organizacji, więc jeśli ktokolwiek z nich schował coś w pokoju gościnnym, musiał uczynić to właśnie owego wieczoru, prawdopodobnie w czasie, gdy podano sałatki, a Baron van de Wetering, przebrany za dąb, zabawiał towarzystwo, udając tygrysa pod stołem. Po tragicznym finale naszego balu nie ośmieliłam się zwrócić niczyjej uwagi na przedmioty należące do Pana, które policja zapomniała skonfiskować – mogli przecież na ich podstawie wydedukować, że był Pan jednak obecny na balu, a to pogorszyłoby jeszcze sytuację nas wszystkich.

Ach, Panie Snicket! Z rzeczy, które trzymał Pan u mnie w domu, nie pozostało nic. Nie ma ani kostiumu toreadora, ani innych kostiumów, które Pan zostawił, nie ma fałszywej sztucznej nogi, nie ma pudła peruk, nie ma nawet tego dziwnego garnituru, w którym udawał Pan stylową komodę. Pańska maszyna do pisania też znikła, a wraz z nią niebieski akordeon – trzeci, jak mi się zdaje, z Pana ulubionych. Znikło dosłownie wszystko z wiadomego pokoju gościnnego, z sąsiedniego pokoju zresztą też. Beatrycze, rzecz jasna, od dawna już nie może domagać się zwrotu straconych przedmiotów – i z tego właśnie powodu, jak mniemam, poświęcił Pan całe swoje życie dochodzeniu prawdy o życiu owych trojga nieszczęsnych dziatek.

Czyżby i one znikły? W dzisiejszych czasach wszystko jest możliwe. Znikły przecież moje ulubione potrawy, moje ukochane meble – te stoliczki, okrągłe, kwadratowe, prostokątne – znikły wszystkie co do jednego, a wraz z nimi krzesła od kompletu. Znikły zasłony, z wyjątkiem ognioodpornych, które wciąż leżą w kącie, oczekując rozpoczęcia procesu. Znikły paradne schody z balustradą ozdobioną na końcach dwoma rzeźbionymi krukami. Znikły roślinki doniczkowe i lniane serwetki z haftowanym herbem Winnipegu po jednej stronie i mapą metra po drugiej. Znikły nawet moje własne peruki, w które zamierzałam się przebierać, gdy Pan będzie się przebierał za kogoś innego. Znikło pudełko cygar – prezent ojca z okazji pierwszej mojej wizyty w domu od dnia uprowadzenia, znikło moje dziecinne łóżeczko, w którym obserwowali mnie ukradkiem instruktorzy WZS, czekając na właściwy moment, aby złapać mnie za nogi i wprowadzić w nowe życie. Wszystko znikło, drogi Panie Snicket. Cała moja prywatna biblioteka – *Pajęczyna Szarloty*, *Zielony Dwór*, *Iwan Łzawy – badacz jeziora* – zamieniła się w nieczytelny popiół.

Owej nocy było tak zimno, że pozamykałam wszystkie okna i nawet nie słyszałam cykania świerszczy – obudził mnie dopiero huk walącego się regału. Wybiegłam na śnieg z płonącego domu, w samej piżamie, łapiąc po drodze tylko garść fotografii, które oglądałam sobie przed snem. Spojrzałam na nie i nie mogłam wprost uwierzyć, że wszystko potoczyło się tak fatalnie. Wydaje mi się, Drogi Przyjacielu, że nie dalej jak dwa dni temu poznaliśmy się w infirmerii, gdzie opowiadaliśmy sobie nawzajem bajki, aby zapomnieć o bólu nad kostkami nóg – a już nazajutrz cała organizacja poszła w rozsypkę, niczym popiół z pogorzeliska rozmieciony na cztery strony świata wilgotnymi wiatrami Winnipeg. Ogień jest jak chciwość, mój miły Towarzyszu. Rozprzestrzenia się po świecie, myśląc tylko o sobie, niszcząc wszystko, co napotyka, i psując wszystkim zabawę.

Proszę przyjąć ode mnie te fotografie, Panie Snicket. To wszystko, co mogę Panu ofiarować poza lojalnością, troską i dwiema chusteczkami do nosa, które właśnie znalazłam w kieszeni. Proszę przyjrzeć im się uważnie, Przyjacielu – i fotografii Pańskiej siostry ze mną, i drugiej fotografii, którą zawsze podawaliśmy za portret Pańskiej siostry ze mną, chociaż to nieprawda, i zdjęciu pamiątkowemu z Drugiego Dorocznego Festynu Deszyfrantów, a także dwóm ujęciom naszej sali konferencyjnej – pustej, oraz z jedną samotną postacią, oczekującą rozpoczęcia sesji w wielkiej sali z zieloną boazerią. Jakże radosna jest panienka uwieczniona na tym zdjęciu, nieprawdaż? Jakże radosna – a przecież łatwopalna.

Z całym należnym szacunkiem

ZAŁĄCZNIK DO AKT:

List ten zastał mnie w Hali Veblena, gdzie chcę przeprowadzić wywiad z personelem firmy zaopatrzeniowej, aby ustalić, kto prowadził samochód owego feralnego dnia. Mimo głęboko wzruszającej treści pisma nie mam pewności, czy jego autorką jest na pewno Księżna Winnipeg. Dżip przed gmachem Obserwatorium Orion nie był, rzecz jasna, granatowy, tylko czarny, a stał nie w północno-zachodnim, lecz w południowo-zachodnim rogu parkingu. Księżna Winnipeg nie popełniłaby takiej omyłki. Prawdziwą R. egzaminowano przecież z tych informacji co miesiąc, przez ponad siedem lat. Czyżby Księżna usiłowała mi coś ważnego zakomunikować? Czyżby na parkingu stał jeszcze jeden dżip? Czy też list jest dziełem oszusta? Załączone w nim fotografie mogły zostać ukradzione z domu Księżnej podczas wspomnianego balu lub też spreparowane – na przykład na nowoczesnym komputerze w Szkole Powszechnej imienia Prufrocka.

List zawinięty był w białą lnianą serwetkę z herbem Winnipeg wyhaftowanym po jednej stronie. Druga strona jest pusta. Świerszcze na ogół nie cykają w zimie. Obawiam się najgorszego.

ROZDZIAŁ TRZECI
Dlaczego ten budynek
stoi opuszczony?
Dlaczego Hrabia Olaf
nosi tatuaż z okiem
na kostce lewej nogi?

Poniższy tekst jest protokołem zebrania Komitetu Budowlanego[illegible], które odbyło się dnia [illegible] kwietnia. W zebraniu uczestniczyli: J, L, M, R, R, M, L, K, D, S oraz JA. Uwaga: inicjały są pierwszymi literami imion uczestników zebrania, z wyjątkiem JA, które jest zaimkiem osobowym. Inicjały niektórych osób są identyczne, co utrudniać może lekturę protokołu, ale to nie szkodzi - Regulamin WZS stanowi wszak, że czytanie protokołów przez osoby, które nie uczestniczyły w zebraniu, jest surowo zabronione.

(przewodniczący trzy razy stuka młotkiem na znak otwarcia obrad)

M: Proszę o ciszę. Czy sekretarz jest gotowy do protokołowania?

JA: Jestem.

M: Zacznijmy od sprawdzenia listy obecności. Proszę Wicekanclerza o odczytanie listy członków Komitetu, abyśmy wiedzieli, czy nikogo nie brakuje.

R: Jestem gotów. Proszę odpowiadać głośno. J?

J: Jestem.

R: J?

J: Jestem.

R: M?

M: Jestem.

R: M?

M: Jestem.

R: K?

K: Jestem.

R: K?

K: Przecież mówię, że jestem.

R: Przepraszam, nie dosłyszałem. D?

D: Jestem.

R: Czy D reprezentuje dzisiaj L, czy też przybywa niezależnie, we własnym imieniu?

L: Ja jestem, więc nie ma potrzeby, aby D mnie reprezentował.

R: Przepraszam, nie zauważyłem. L?

L: Jestem.

R: L? Ach, prawda, ty już byłeś. S?

S: Jestem.

R: R?

R: Jestem.

R: Jeszcze raz R? Aha, to ja. No to nikogo nie brakuje, M.

M: Doskonale. Zacznijmy od wygłoszenia przysięgi.

J, L, M, R, R, M, L, K, D, S, JA: U nas zawsze cicho, sza!

M: Doskonale. Zanim przejdziemy do spraw bieżących, mam kilka ogłoszeń. Dziś wieczorem o godzinie 19.00 spotykamy się w korytarzu, przed drugimi drzwiami na lewo od tej sali, skąd udamy się na pokaz filmu *Wilkołaki na deszczu*, w reżyserii dr. Sebalda, aby odebrać zaszyfrowaną wiadomość. Projekcja filmu rozpoczyna się o godzinie 19.30. Jutro rano od godziny 9.00 odbywa się comiesięczny egzamin dla nowicjuszy R, L, K, B, J, E i G. W związku z tym sesja kartograficzna zostaje przeniesiona z sali egzaminacyjnej do ogrodu rzeźb...

R: ...gdzie zresztą jest o wiele przyjemniej.

M: No właśnie. I w ten sposób dochodzimy do naszej sprawy niecierpiącej zwłoki.

L: Znaleziono zwłoki?

M: Ależ nie, M wcale nie to miał na myśli. Zwrot „sprawa niecierpiąca zwłoki" oznacza w tym przypadku „pilną kwestię, dla przedyskutowania której zebraliśmy się tutaj". Jak dorośniesz, L., nauczysz się lepiej rozumieć tego rodzaju wyrażenia.

J: Proszę podać tu brandy.

M: Proszę kontynuować, M.

M: Dziękuję. Obawiam się, że będziemy musieli znów przenieść kwaterę główną.

R: Nie!

D: Niemożliwe! Już?!

M: Obawiam się, że i tak już za późno.

D: Nasi szpiedzy z „Dziennika Punctilio" donoszą, że G chce zamieścić nasz adres w swojej stałej rubryce „Tajne organizacje, o których warto wiedzieć".

J: Przecież o naszej organizacji nikt się nie może dowiedzieć!

M: I o to właśnie chodzi M! Musimy jeszcze raz zmienić adres.

R: To się robi absurdalne.

R: Zgadzam się. Ja też mam dziewięć lat, ale pomyślmy, jak fatalnie te perturbacje wpływają na naszych młodszych towarzyszy.

R: R ma rację. Wdzieramy się do obcych domów...

J: Najpierw zdobywamy pozwolenie.

L: Daj jej skończyć.

R: Dziękuję. Wdzieramy się do obcych domów, porywamy małe dzieci, wyróżniające się zdolnością obserwacji i/lub sporządzania notatek, po czym izolujemy je - przynajmniej na dłuższy czas - od bliskich osób. Oddajemy je na wychowanie obcym ludziom i rozsyłamy na cztery strony świata, gdzie z naszego rozkazu wykonują niezrozumiałe dla siebie zadania, aż do czasu, gdy nogi im się wygoją, a my nabierzemy pewności, że można im ufać i że nikt ich już nie poszukuje. Wreszcie ściągamy je do naszej kwatery głównej, gdzie ćwiczą się w umiejętnościach, które będą im niezbędne po powrocie do społeczeństwa, skoro mają być misjonarzami świata wiernego zasadzie: „U nas zawsze cicho, sza!".

K: Jak po pożarze.

R: Sądzę, że dalsze perturbacje w procesie kształcenia mogą całkiem zamieszać w głowach naszym nowicjuszom. Dam przykład. Jutro rano rozpoczynamy comiesięczne egzaminy. Jeżeli nowicjusze, zamiast spać, będą przez całą noc pomagali przenosić książki, śpiwory, menażki, aparaty fotograficzne, akta, podręczne zestawy do charakteryzacji, mapy, młynki do kawy, plany i wykresy, książki kodowe, wędki, notatniki, fałszywe karty dań, aktówki, korkociągi, atlasy ptaków, materiały biurowe, akwaria, fałszywe mapy, węże ogrodnicze, szkła powiększające, instrumenty muzyczne, sieci, kable elektryczne, biżuterię, skrzynki z narzędziami, spektroskopy, projektory, karmę dla kotów, palta zimowe, karty do gry, zasłony, łyżeczki do kawioru, wytrychy, sznury, składane stoliki i otomany, słowniki i atlasy, klatki, chińskie pałeczki, rowery, haki, sprzęt żeglarski, puszki po konserwach, kanistry, fałszywe książki telefoniczne, fałszywe plany i wykresy, aparaty telegraficzne, wywietrzniki, fasady budynków, fałszywe młynki do kawy, podręczne zestawy do charakteryzacji...

J: To już mówiłaś.

R: Jeżeli przez całą noc będą przenosić inwentarz do nowej kwatery głównej - o ile takową znajdziemy - to jak, waszym zdaniem, wypadną potem na egzaminach? Wiemy przecież z raportu S o Szkole Powszechnej imienia Prufrocka, że jeśli młodzież nie wysypia się należycie, obniżają się zwykle jej wyniki w nauce. Niewyspany uczeń może, na przykład, zapomnieć, gdzie dokładnie zlokalizowane są automobile, w których przechowujemy akta i przekazujemy sobie wiadomości, lub pomylić może Szyfr Sebalda, podając, że między słowa zaszyfrowane wstawia się po osiem - zamiast po dziesięć - słów niezaszyfrowanych. Nie mówiąc już o sekrecie cukiernicy, który całkiem może wylecieć uczniowi z głowy. Grozi to poważnymi nieporozumieniami w naszej komunikacji za pomocą szyfru, do czego absolutnie nie wolno dopuścić.

M: Do tego, żeby nas tu znaleźli, też nie wolno dopuścić. Jeśli nasz adres ukaże się na łamach „Dziennika Punctilio", za parę dni ten budynek i tak na pewno zostanie zniszczony.

J: Jak ta wredna reporterka znalazła nasz adres? Przecież już od dawna nie wywieszamy na biurach swojego emblematu i przestaliśmy nawet używać do budowy zielonych desek.

M: Nie ma czasu zastanawiać się nad tym, jak nas znaleziono.

J: Przeciwnie, M! Jest najwyższy czas zastanawiać się nad tym, jak nas znaleziono. Najwyższy czas powiedzieć sobie głośno to, co od dawna mówi się w tym gronie po cichu: wróg infiltruje nasze szeregi.

K: Infiltruje?

J: „Infiltruje", czyli „ma wtyczkę", czyli „wkręcił się między nas niezauważony".

K: Ja wiem, co znaczy „infiltruje". Spytałem „infiltruje?", żeby dowiedzieć się, czy naprawdę tak sądzisz. To niemożliwe.

R: K ma rację.

R: Nie, J ma rację.

R: K.

R: J.

R: K.

R: J.

R: K!

R: J!

M: Cisza! Przedyskutujemy to innym razem.

J: Przepraszam, M, ale uważam, że powinniśmy przedyskutować to teraz. Odkąd wstąpiłem do organizacji, już siedmiokrotnie opuszczaliśmy w pośpiechu kwaterę główną. Was wszystkich, towarzysze - z wyjątkiem, rzecz jasna, L - poznałem w siedzibie na Kolumbijskiej 1485, którą niemal natychmiast potem musieliśmy porzucić, przenosząc się do ceglanej kamienicy za kolczastym żywopłotem. Dwa miesiące później zauważyliśmy, że ktoś robi w pobliżu zdjęcie, a przechadzał się tam akurat jeden z naszych agentów i dwie obce osoby - przenieśliśmy więc cały dobytek do willi z dwiema okrągłymi wieżami, w okolice tak mgliste, że wszystkie nasze słoneczniki zwiędły i musieliśmy przerwać wiadomy eksperyment. Po jakimś czasie M obudził nas w środku nocy i nakazał ewakuację z zamglonej willi do nowej kwatery głównej w lokalu Poczty Wersalskiej, skąd zaledwie w rok później uciekaliśmy w pośpiechu do lokalu konkurencyjnego urzędu pocztowego. Po tych doświadczeniach postanowiliśmy zejść do podziemia i rozpoczęliśmy kopanie sieci tuneli, najpierw pod latarnią, ale potem nasi szpiedzy z „Dziennika Punctilio" poradzili nam, żebyśmy raczej urządzili podziemną kwaterę główną pod „opuszczoną szopą” w północno-zachodnim krańcu Przebrzmiałej Puszczy. Kto wie, ile informacji i sprzętu straciliśmy, pakując się i rozpakowując tyle razy? Kto wie, ile cennego czasu poszło na marne? Istnieje jedna tylko odpowiedź na pytanie, jak znaleziono nasz tajny adres: ktoś z członków WZS - być może nawet ktoś z obecnych na tej sali - zdradził organizację.

E: (śmieje się)

O: To prawda, panie i panowie, być może ktoś z obecnych na tej sali was zdradził!

M: O!

K: I E! Nie widzieliśmy was dotychczas - czemu się chowacie za teatrzykiem kukiełkowym?

M: E i O, proszę natychmiast opuścić zebranie.

O: Szczerze mówiąc, wolę, kiedy mówi się do mnie T.

M: Nie zamierzamy się w ogóle do ciebie odzywać. Proszę wyjść.

E: Ani nam się śni, wy głupki.

O: Patrzcie!
(liczne okrzyki zgrozy)

L: O kurcze!

M: Proszę natychmiast schować to z powrotem do pudełka!

O: Nie tak prędko! Najpierw postawię parę warunków:

Zgodnie z instrukcją, protokół przechowuje się w dwóch oddzielnych częściach. Pierwsza połowa kończy się w tym miejscu i pozostaje w moich aktach, wraz z załączonymi fotografiami i raportem o domniemanym neoficie. Druga połowa protokołu ukryta zostanie między stronami 302 i 303 jednego z egzemplarzy książki pt. *Iwan Łzawy – badacz jeziora* - wyjątkowo nudnej biografii, której raczej nigdy nikt nie przeczyta. Książka zostanie ukryta pod czyimś łóżkiem.

Okno, do którego łatwo się dostać z drzewa

ul. Kolumbijska 1485?

Obce osoby

K?T?O?

A

B.

kopmy tutaj

Kto wie, ile informacji
i sprzętu straciliśmy,
pakując się
i rozpakowując
tyle razy?

Drogi J!
Załączam parę fotografii neofity, o którym była mowa. Coraz trudniej jest czaić się w ogródkach jordanowskich i robić zdjęcia niepostrzeżenie, ale udało mi się pstryknąć te trzy. Jak widzisz, obiekt wydaje się dość sprawny fizycznie i zdradza chwalebną skłonność do samoobrony przed pożarem. Gdy tylko zdołam ustalić nazwę miasta, w którym przebywa, dostarczę Ci dalszych wskazówek co do możliwości rekrutacji („wzięcia”).

ROZDZIAŁ CZWARTY

~~Gdzie są Trojaczki Bagienne?~~

Drogi Ser!

Dr Sebald nie przybył na spotkanie – zaczynam się martwić. Jak sami wiecie, moi kochani Serowarowie, w sytuacji, gdy kogoś oczekujemy o wyznaczonym czasie, a ten ktoś nie nadchodzi, trudno zdecydować, kiedy już nie warto dalej czekać, bo oczekiwana osoba na pewno nie przyjdzie. Dajmy na to, że jesteśmy dentystą i spodziewamy się pacjenta o godzinie piątej – widząc, że jest piąta dwadzieścia pięć, odczekamy może jeszcze pięć minut, ale potem uznamy, że nasz pacjent albo zapomniał o wizycie, albo tak się przestraszył zdejmowania kamienia nazębnego, że zamknął się w szafie i odmawia wyjścia. A jeżeli jesteśmy obserwatorem ptaków i o szóstej czterdzieści pięć wyglądamy jeszcze gołębia, który miał przylecieć o szóstej trzydzieści – to poczekamy jeszcze ze dwadzieścia minut i damy sobie spokój, dochodząc do wniosku, że albo naszego gołębia pożarł kot, albo gołąb zaspał. Ja jednak nie jestem ani dentystą oczekującym pacjenta, ani obserwatorem ptaków oczekującym gołębia – chociaż mam przy sobie zarówno płyn do dezynfekcji jamy ustnej, jak i lornetkę. Jestem dokumentalistą oczekującym reżysera filmowego – i czekam tak od dziewiętnastu godzin. Postanowiłem dać mu jeszcze dwadzieścia minut, zanim dojdę do wniosku, że kolejny reprezentant WZS został porwany przez naszych chytrych, chciwych i humorzastych wrogów.

Nie wykluczam, rzecz jasna, że dr Sebald nie został porwany, tylko coś go zatrzymało – w takiej sytuacji przysłałby mi z pewnością zaszyfrowaną wiadomość. Gdybyśmy, na przykład, znajdowali się w kinie na jednym z filmów dr. Sebalda i usłyszelibyśmy z ekranu następujący dialog:

POSTAĆ 1

(dzwoni dzwonkiem) Jestem wielkim miłośnikiem suszonych śliwek. Obejść się bez suszonych śliwek raz w tygodniu to dla mnie nie lada wyrzeczenie. Dwa tygodnie to pułap moich możliwości. Niestety, czasem śliwka utknie mi między zębami. Jakże cenię sobie wówczas wykałaczki.

POSTAĆ 2

(kiwa głową) Ilekroć mnie to spotyka, wołam do służby: „Przyślijcie tu mojego męża!". Mój drogi mąż jest mi zawsze bardzo pomocny przy usuwaniu suszonych śliwek spomiędzy zębów.

POSTAĆ 1

(wyjmuje notes i pióro) Gdzie mieszka pani mąż?

POSTAĆ 2

Tylko bez osobistych pytań. A teraz proszę się wynosić i to szybko.

(obie postacie dzwonią dzwonkiem)

– zrozumiałbym natychmiast, że dr Sebald jest w pułapce i mam mu przysłać pomoc, tylko szybko. Tymczasem jednak siedzę w łodzi wiosłowej, gapię się w toń Błotnego Bagna i zachodzę w głowę, gdzie też on może się podziewać.

Jeżeli został porwany, dalsze przechowywanie kartek ze scenariusza jego filmu pt. *Zombi na śniegu* może być dla mnie niebezpieczne. Miałem oddać te kartki dr. Sebaldowi dziewiętnaście godzin temu – upewniwszy się, że dr Montgomery nigdy nie opanował Szyfru Sebalda – jeśli jednak reżyser nie przybędzie w ciągu najbliższych dziewiętnastu minut, załączę je do tego listu. Błagam was, Koledzy Serowarowie, schowajcie te kartki jak najlepiej.

Przypominam Wam, że jesteście moją przedostatnią nadzieją na to, że historia sierot Baudelaire ujrzy wreszcie światło dzienne.

Z całym należnym szacunkiem

Lemony Snicket

PS Aby się nieco rozerwać podczas tych dziewiętnastu godzin oczekiwania, zanotowałem garść ewentualnych tytułów książki o swoim życiu. Nie spodziewam się takowej napisać, ale być może ktoś kiedyś to uczyni, a wówczas mogą mu Panowie służyć informacją, o ile o nią poprosi. albo ukradnie...

LEMONY SNICKET:
Biograf Baudelaire'ów

LEMONY SNICKET:
Tchórz i dżentelmen

LEMONY SNICKET:
Prawda za kulisami legendy

LEMONY SNICKET:
Legenda za kulisami prawdy

LEMONY SNICKET:
Człowiek za kulisami

LEMONY SNICKET:
Prawda za kulisami kłamstwa

LEMONY SNICKET:
Prawda za kulisami kłamstwa
za kulisami prawdy

LEMONY SNICKET:
Prawda za kulisami kłamstwa za kulisami prawdy
za kulisami człowieka za kulisami

LEMONY SNICKET:
Prawda za kulisami legendy za kulisami organizacji
za kulisami wielu nieszczęść

LEMONY SNICKET:
Prawda za kulisami człowieka
za kulisami historii sierot

LEMONY SNICKET:
O człowieku, który nigdy niczego nie podpalił

LEMONY SNICKET:
O człowieku, który nigdy niczego nie podpalił
– wbrew pogłoskom

LEMONY SNICKET:
O człowieku, który podejrzewa pewne osoby
o podpalenie pewnych rzeczy, chociaż sam
tego nie zrobił

LEMONY SNICKET:
O człowieku, któremu żal, że wszystko
nie potoczyło się inaczej

LEMONY SNICKET:
O człowieku, który woła pomocy

LEMONY SNICKET:
O człowieku, który woła pomocy rozpaczliwie

LEMONY SNICKET
O pewnym mężczyźnie, pewnej kobiecie
i pewnej organizacji

LEMONY SNICKET
O pewnym mężczyźnie, pewnej kobiecie i kilku zapałkach

LEMONY SNICKET:
O pewnym mężczyźnie, pewnej kobiecie
i innym mężczyźnie

LEMONY SNICKET
O trzech osobach, z których dwie są płci męskiej

LEMONY SNICKET:
O trzech sekretnych inicjałach

LEMONY SNICKET:
O trzech sekretnych inicjałach, które są spółgłoskami

LEMONY SNICKET:
Dzieje trojga rodzeństwa, z których
co najmniej jedno nie żyje

CZUJECIE DYM?
Dzieje Lemony Snicketa

LEMONY SNICKET:
Dobry człowiek w złej sytuacji, nie na odwrót

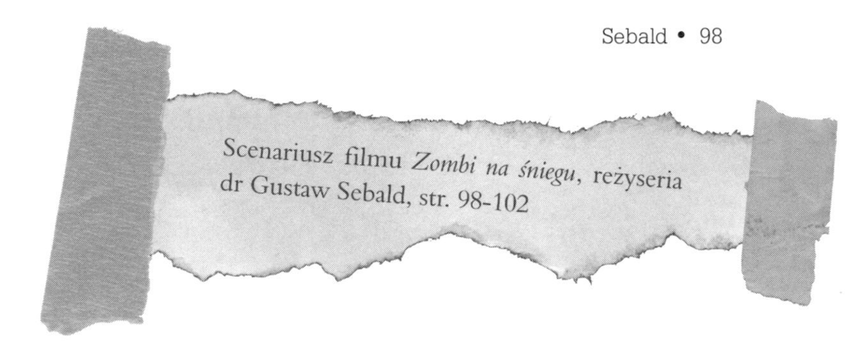
Scenariusz filmu *Zombi na śniegu*, reżyseria dr Gustaw Sebald, str. 98-102

DOLORES

(kończąc arię)

Jestem bardzo, bardzo zła,

Czy chcą pożreć nas do cna?

OJCIEC MIASTA 1

(dzwoni dzwonkiem) Uwaga, uwaga, obywatele i obywatelki naszego miasteczka! Ważny komunikat! Informujemy, że w niedługim czasie zapadnie zmierzch! Proszę natychmiast przerwać wszelkie prace przy bałwanie! Proszę skierować wzrok ku zachodowi – oto ostatni promień słońca już chowa się za horyzontem! Zgłodniałe zombi zaatakują niebawem nasze miasteczko! Niech się wszyscy schowają za dębową barykadą wzniesioną przez ojców miasta! Żaden człowiek nie może pozostać na zewnątrz. Mały Rolfie, jeśli chcesz zostać ocalony przed atakiem zombi, zmykaj za barykadę, bo zombi nie zostawią z ciebie ani kosteczki!

MAŁY ROLF

Ja się nie boję zombi, dentysty ani pożaru! Ja chcę lepić bałwana!

OJCIEC MIASTA 2

Wykonaj rozkaz!

MAŁY ROLF

Odwalcie się!

OJCIEC MIASTA 1

Wobec tego spotkamy się na tamtym świecie. Ratujmy własną skórę, obywatele! Prędko! Schowajmy się za barykadą, a Mały Rolf niech sobie robi, co chce! Tam nas zombi nie dopadną – ręczę wam, drodzy obywatele, gdzie jak gdzie, ale nie tam!

OBYWATELE

(radośnie) Hura!

GERTA

(wychodzi naprzód) Nie widzicie, że ojcowie miasta coś kręcą? Że porzucają dziecko na pożarcie? Wstydźcie się, obywatele!

OJCIEC MIASTA 1

To nie film, Gerta! Przestań się zgrywać!

OJCIEC MIASTA 2

Właśnie, głupia mleczarko. Cicho siedź i przywieź nam za barykadę zapas mleka, żebyśmy mieli co pić – ze trzy bańki.

OJCIEC MIASTA 1

Albo chodź z nami. Bo zostaniecie tu jak dwie sieroty z Małym Rolfem i pożrą was zombi.

GERTA

Mam w nosie twój pesymizm. Chcę się zaprzyjaźnić z zombi.

OJCIEC MIASTA 2

To na nic. Twój nowy pomysł jest do kitu!

MAŁY ROLF

Chodź lepiej tutaj, Gerto. Potrzebny mi asystent do lepienia bałwana.

OJCIEC MIASTA 1

(wyprowadzając obywateli z kadru)

Pożałujesz tego, Gerto.

OBYWATELE

(odchodząc) Hura!

GERTA

Ach, Rolfie! Barykada jest za słaba wobec zębów zombi. Przegryzły przecież pojemnik na śmieci podstawiony od środka.

MAŁY ROLF

Drewniane barykady są do kitu.

(Słychać straszny rumor. Grupa obywateli wbiega z powrotem w kadr).

OJCIEC MIASTA 1

Zombi! Zombi! Zombi! Strzeż się zombi!

OJCIEC MIASTA 2

Ratunku! Ratunku! Ratunku! Ratunku! Ratunku! Ratunku! Ratunku! Ratujmy się! Na pomoc!

(dzwoni alarm)

DOLORES

(rozpoczyna arię)
Pożrą mnie od głowy
Pożrą mnie do stóp
Pożre mnie w całości
Zombi – żywy trup.

Szanowny Panie Snicket!

Z wielką ulgą przyjęłam wiadomość, że Pan żyje, a Doktor Orwell nie! Przez wiele lat sądziłam, że jest odwrotnie i że Pana sprawami zawiaduje ktoś z rodzeństwa, tak jak ja zawiaduję obecnie sprawami Gustawa. Siostry i bracia muszą sobie wzajemnie pomagać, gdy zostają sami na świecie, i dlatego poczytuję sobie za honor, że mogę sprawować pieczę nad archiwami Sebalda. Mój brat był jednym z czołowych reżyserów wszech czasów, a mimo to nie pisze się o nim w podręcznikach historii ani w pismach filmowych. Mam nadzieję, że Pańska książka o Baudelaire'ach przybliży społeczeństwu twórcę takich filmów jak: *Duchy na pustyni, Demony w ogrodzie, Mumie w dżungli, Lwy w górach, Wampiry w domu starców, Pijawki w jeziorze, Wilkołaki na deszczu, Chirurdzy w teatrze, Goryle we mgle, Nietoperze na stacji kolejowej, Mrówki w sałatce owocowej, Zombi na śniegu, Hipnotyzer w gabinecie, Yeti w domu towarowym,*

Aligatory w rynsztoku, Handlarze nieruchomości w jaskini, Najmniejszy elf – i wielu innych.

W odpowiedzi na Pańską prośbę przesyłam wszystkie znalezione w archiwach brata fotosy z filmu *Zombi na śniegu*. Gustaw był niezwykle skrupulatny w realizacji scenariusza, gdyż najmniejsza zmiana tekstu przez aktora mogła spowodować, że ukryci na widowni agenci WZS odbiorą niewłaściwy komunikat. W kluczowej scenie filmu *Zombi na śniegu* – jak zwykle między dwoma dzwonkami – zawarty został komunikat w sprawie ocalałej osoby, o której wspomina Pan w swoim liście. Brat nic więcej nie mówił mi na ten temat. Może dalszych informacji dostarczą Panu załączone fotosy. Oto one, w kolejności:

1. Trójka aktorów filmu *Zombi na śniegu* pozuje na tle Gustawa – bałwana ulepionego specjalnie do tej sceny. Aktor widoczny pośrodku grał Małego Rolfa – nie pamiętam, niestety, jak się nazywał. Może Omar?

2. Zdjęcie ze sceny w lesie. Proszę zauważyć, że Gustaw musiał użyć sarenek ceramicznych, zamiast prawdziwych, z powodu cięć budżetowych producenta filmu.

3. Zdjęcie ze sceny pościgu saneczkowego.

4. Zdjęcie ze sceny, w której obywatele próbują walczyć z zombi soplami zerwanymi z dachu fabryki konserw rybnych.

5. Jeszcze jedno zdjęcie bałwana, którego Gustaw pozostawił na planie przez kilka dni po nakręceniu filmu, zanim dowiedział się, że zaszyfrowany komunikat nie dotarł do adresatów.

6. Nie rozumiem, dlaczego to zdjęcie znalazło się w archiwach filmu *Zombi na śniegu*. Widoczna na nim trójka dzieci – prawdopodobnie rodzeństwo, w mniej więcej równym wieku – nie grała w filmie, przynajmniej ja nic o tym nie wiem. Proszę zwrócić uwagę na odręczną adnotację.

7. Jedno z nielicznych zdjęć Gustawa Sebalda, przedstawiające go w początkach pracy nad bałwanem.

Mam nadzieję, że informacje te będą Panu pomocne. Polecam się na przyszłość, gdyby zaszła taka potrzeba.
„U nas zawsze cicho, sza".

Pozdrawiam

Sally

Sally Sebald

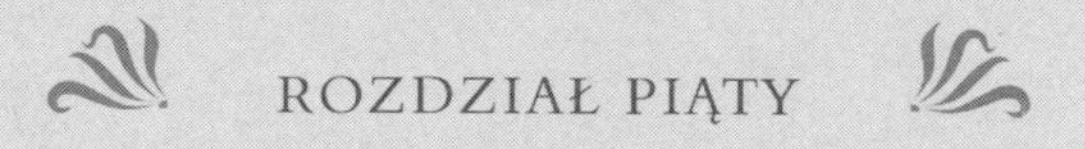

ROZDZIAŁ PIĄTY

~~Kto to jest Beatrycze?~~

Dlaczego tę aktorkę wycofano z obsady po trzech zaledwie spektaklach?

ZAŁĄCZNIK DO AKT:

Papiery te znaleziono powiewające na wietrze w Dzielnicy Finansowej miasta.

Drogi Ser!

Archiwa „Dziennika Punctilio" – co tu oznacza: „wszystkie egzemplarze wzmiankowanej gazety zebrane w liczne tomy roczników" – uległy zniszczeniu. Być może głupotą było trzymać je na widoku, zamiast w ścisłym zamknięciu, zauważmy jednak, że nawet najpilniej strzeżone zbiory informacji – takie jak Archiwum Szpitala Schnitzel, przechowywane za zamkniętymi drzwiami, czy księgozbiór dr. Montgomery'ego, strzeżony przez czujne gady – także już nie istnieją, wolno więc mniemać, że nie ma to znaczenia, iż archiwa „Dziennika Punctilio" składowano po prostu w wysokich basztach wzdłuż pewnej ulicy pewnego miasteczka nieopodal Przebrzmiałej Puszczy. Nasi wrogowie odnaleźliby i zniszczyli owe bezcenne gazety bez względu na miejsce ich ukrycia. Ilekroć spaceruję ulicami miasteczka, łapię wszystkie gazety zamiatane wiatrem po chodnikach, z nadzieją, że przynajmniej niektóre ważne dokumenty archiwum ocalały ze zniszczenia i zostały tu przywiane z powrotem. To z pewnością śmiesznie wygląda, gdy dojrzała kobieta brodzi po Fontannie Zwycięskich Finansów, łowiąc dryfujący strzępek gazety – ale to jedyna moja szansa na ocalenie dobrego imienia Lemony Snicketa, o ile on faktycznie jeszcze żyje.

Jak dotąd, nie natknęłam się na właściwe dokumenty. Najbliższe celu moich poszukiwań okazały się artykuły z Rubryki Teatralnej, zamieszczone w numerach z owego feralnego tygodnia. Przesyłam je wam, kochani Serowarowie, z prośbą o dołączenie do reszty spuścizny po moim bracie.

„U nas zawsze cicho, sza".

Wieczór w teatrze

relacjonuje nasz krytyk teatralny
Lemony Snicket

Minął już przeszło rok, odkąd pisuję recenzje do tej gazety, a jednak wielu rzeczy nadal nie rozumiem. Nie rozumiem, skąd detektyw Auster w ubiegłorocznym spektaklu *Morderca wegetarianin* wiedział, że taksówkarz kłamie. Nie rozumiem, czemu miał służyć pokaz stepowania w środkowej scenie sztuki *Uwaga! Siekiera!* Nie rozumiem też, dlaczego Teatr Nancarrow pozwala widzom przyprowadzać na spektakle żywe owce – ale tylko w soboty, ani dlaczego w ogóle zezwolono na wystawienie sztuki o śpiewających kotach. Nie rozumiem, dlaczego Nagrodę Brooks-Gish dla Najlepszej Aktorki Roku przyznano Shirley T. Sinooit-Pecer, gdy powszechnie podejrzewa się, że jest ona a k t o r e m. Nie rozumiem też, dlaczego do teatru chodzą osoby, które najwyraźniej wolą rozwijać cukierki z papierków albo gadać przez telefon niż oglądać sztuki. Nie rozumiem wreszcie, dlaczego miałbym oklaskiwać wychudzone baletnice tylko za to, że potrafią stać na palcach dłużej ode mnie.

I oto znów zdarzyło się coś, czego nie rozumiem. Nie rozumiem, czemu wprowadzono tak wiele zmian do sztuki wystawianej obecnie w Teatrze Neda H. Rirgera. Wierni czytelnicy tej rubryki pamiętają zapewne, że w ubiegłym tygodniu recenzowałem spektakl tego teatru pt. *U nas zawsze cicho, sza*, którego autorką jest nieznana nikomu Linda Rhaldeen. Pisałem wówczas: „*U nas zawsze cicho, sza* to najwybitniejszy spektakl sezonu. Każdy widz – i ten, który odwiedza teatr dla przyjemności, i ten, który bywa tam, by odbierać ważne zaszyfrowane informacje – znajdzie w tym przedstawieniu godziwą rozrywkę i/lub wskazówkę". Z żalem stwierdzam, że po wczorajszym spektaklu muszę cofnąć powyższą pochwałę.

Po pierwsze, nowy afisz informuje nas, że nazwisko autorki podano błędnie, bo w istocie autorem sztuki jest Al Funcoot. Moi wierni czytelnicy mogą pamiętać, że nigdy nie zachwycałem się twórczością p. Funcoota. Jego pierwszą sztukę – *Najprzystojniejszy mężczyzna na świecie* – scharakteryzowałem jako „nudny popis arogancji", a o drugiej jej części – zatytułowanej *Gwałtu rety, jak ja wyprzystojniałem!* – miałem do powiedzenia tylko tyle: „jeszcze jedna okazja do popisu gwiazdora z pojedynczą brwią". Co gorsza, zmieniono tytuł sztuki – w miejsce szlachetnie wymownego zapewnienia: *U nas zawsze cicho sza*, mamy teraz niedwuznaczną pogróżkę: *Ostatnie ostrzeżenie dla tych, co próbują stawać mi na drodze*. Tak przynajmniej udało mi się odczytać w programie – z niemałym trudem, bo zmiany naniesiono węglem i część słów jest nie do odcyfrowania.

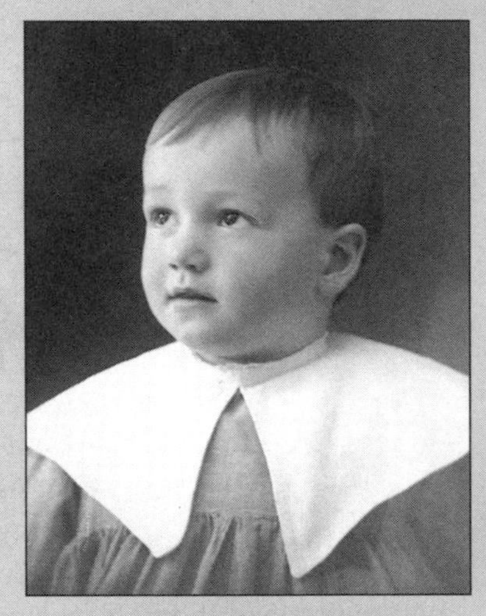

Ostatnie ostrzeżenie dla tych, co próbują stawać mi na drodze afiszuje się jako „komedia", ale mnie jako krytyka bynajmniej nie skłania do śmiechu. Zrezygnowano z kluczowego motywu „Dzwoń, dzwoneczku" na początku sceny pierwszej, zastępując go banalnym skeczem „Poznajcie wyjątkowo przystojnego mężczyznę". Dwie aktorki odtwarzające role Obrończyń Wolności występują w trupio bladym makijażu, a w roli Małego Sebalda, odgrywanej uprzednio przez aktora widocznego na zdjęciu powyżej, obsadzono typa o wyglądzie kryminalisty, o wiele na to za starego

(patrz zdjęcie obok). Największym jednak rozczarowaniem jest zmiana obsady głównej roli żeńskiej. Moi stali czytelnicy domyślają się, że jako narzeczony pierwszej wykonawczyni roli głównej mam w tej sprawie osobiste preferencje. Ale pomińmy wątek osobisty: wczorajszy występ Esmeraldy (? – nazwisko w programie zamazane) był po prostu koszmarny. Ta osoba nie ma pojęcia o aktorstwie. Nie umie śpiewać. Nie umie nawet zagwizdać Czternastej Symfonii Mozarta, czego wymaga sztuka – a przynajmniej wymagała w pierwotnej wersji pt. *U nas zawsze cicho, sza*. Zanim aktorka Esmeralda zaprosiła na scenę całą obsadę do finałowej piosenki pt. *Dawać nam tu wszystkie pieniądze i kosztowności, bo będzie z wami krucho* – opuściłem z niesmakiem gmach teatru. Ładna mi komedia! *Ostatnie ostrzeżenie dla tych, co próbują stawać mi na drodze* to raczej afera kryminalna.

Mam nadzieję, że recenzja ta dotrze do rąk społeczeństwa, zanim będzie za późno na ucieczkę i zwrot pieniędzy za bilety.

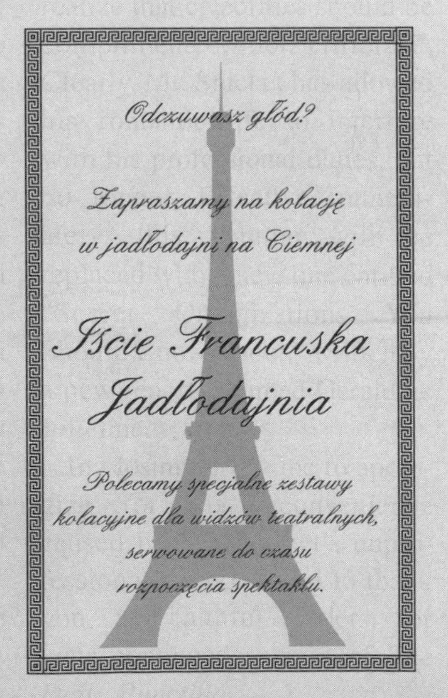

ZAWIADOMIENIE

Redaktor Naczelna Eleonora Poe

Z powodu karygodnie grubiańskich opinii wyrażonych we wczorajszym artykule krytyk teatralny Lemony Snicket został dyscyplinarnie zwolniony z pracy w naszym piśmie. Jako Redaktor Naczelna „Dziennika Punctilio" osobiście obejrzałam niedawno sztukę Ala Funcoota *Ostatnie ostrzeżenie dla tych, co próbują stawać mi na drodze*, z Esmeraldą (? – nazwisko w programie zamazane) w roli głównej, i bawiłam się wyśmienicie. Siedziałam jak zaklęta, od pierwszej sceny, w której wyjątkowo przystojny mężczyzna przedstawia się publiczności, aż do ostatniej – a na koniec, z czystego rozbawienia, rzuciłam na scenę swoją portmonetkę i biżuterię.

Aby wynagrodzić gwieździe spektaklu doznaną przykrość, będziemy odtąd pisać o niej tylko dobrze, poczynając od jutrzejszego artykułu pt. *Aktorka, doradczyni finansowa i kobieta niezamężna – jak Esmeralda godzi trudne obowiązki*. Redakcja „Dziennika Punctilio" wie doskonale, że osobom sławnym należą się komplementy, a nie nagany. Co do p. Snicketa, działał on najwyraźniej z pobudek osobistych, co w pracy zawodowej nie powinno mieć miejsca. I już nie będzie miało. Od dziś miejsce recenzji p. Snicketa zajmuje nowa rubryka pt. „Tajne organizacje, o których warto wiedzieć", prowadzona przez naszą nową reporterkę, Geraldine Julienne.

Kończąc, przepraszam wszystkich za wszelkie możliwe niedogodności wywołane nieprofesjonalnymi opiniami p. Snicketa, a wiernym Czytelnikom dziękuję za niezłomne wspieranie „Dziennika Punctilio".

Wieczór w teatrze

relacjonuje nasz krytyk teatralny Lemony Snicket

Jak zapewne wiadomo moim stałym Czytelnikom, zostałem wyrzucony z posady krytyka teatralnego tej gazety, rzekomo za niepochlebne opinie na temat beznadziejnej sztuki Ala Funcoota pt. *Ostatnie ostrzeżenie dla tych, co próbują stawać mi na drodze* oraz krytykę pod adresem odtwórczyni głównej roli – wybitnie nieutalentowanej i niesympatycznej kobiety imieniem Esmeralda. W imię elementarnej uczciwości pragnę więc poinformować wiernych Czytelników o prawdziwej przyczynie mojego zwolnienia. Eleonora Poe, Redaktor Naczelna tej gazety,

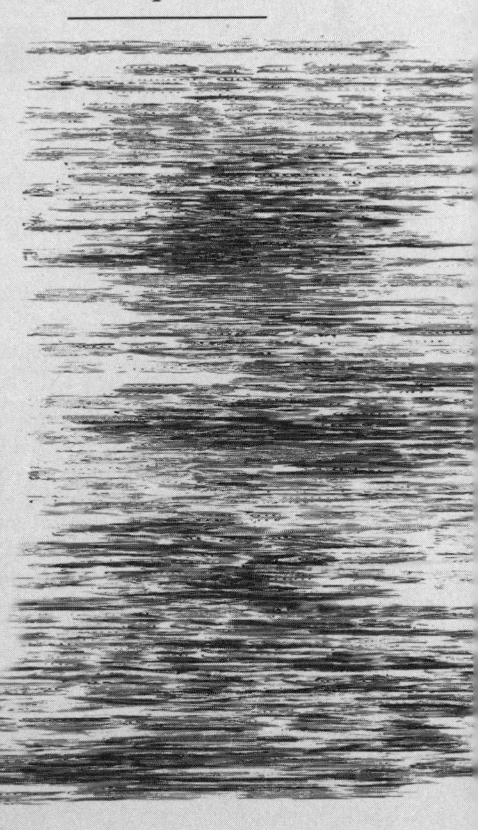

ZAWIADOMIENIE

Redaktor Naczelna Eleonora Poe

Raz jeszcze zmuszona jestem przywołać do porządku naszego byłego krytyka teatralnego p. Lemony Snicketa, który usiłował zamieścić swój kolejny felieton w dzisiejszym porannym wydaniu „Dziennika Punctilio". Jestem przekonana, że wierni Czytelnicy naszej wspaniałej gazety nie są zainteresowani lekturą krytycznych opinii na temat wybitnie utalentowanych aktorek i dramaturgów. Krytykowanie nie jest zajęciem dla krytyka, więc p. Snicket nie ma już co robić w naszej redakcji.

Od tej chwili nasza drukarnia będzie starannie zamykana pod nieobecność pracowników.

Na koniec chcę ponownie przeprosić społeczeństwo za wszelkie niedogodności wywołane nieprofesjonalnymi opiniami p. Snicketa, a wiernym Czytelnikom dziękuję za niezłomne wspieranie „Dziennika Punctilio".

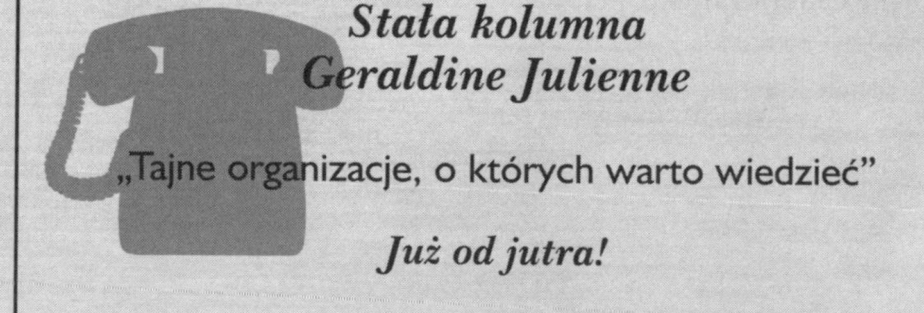

❄ ❄ ❄ ❄ ❄ ❄ ❄ ❄ ❄ ❄ ❄ ❄ ❄

Vivez l'esprit

K!

Obawiam się, że dalsze przechowywanie tych dwóch listów jest dla mnie niebezpieczne. Z powodów, których chyba nie muszę Ci wyjaśniać, nie mogę napisać do p. Snicketa. Bądź więc łaskaw umieścić załączone listy w bezpiecznym miejscu – może u Ike'a, albo w tej mleczarni, o której kiedyś wspominałeś? Mam nadzieję – wszyscy przecież mamy nadzieję – że dokumenty te ocalą kiedyś co najmniej trzy osoby.

Jeśli oddasz mi tę przysługę, nigdy Ci tego nie zapomnę, tak jak nigdy nie zapomnę miejsca postoju naszego tajnego dżipa ani Szyfru Sebalda.

Winnica Wonnych Wron

Drogi Panie Snicket!

Gratulacje z okazji zbliżającego się ślubu! Więc już niebawem zadzwoni Panu dzwon weselny! To wielka radość dla Winnicy Wonnych Wron.

Cześć! Załączamy nagrodzone na konkursie zdjęcie naszej uroczej altany dla nowożeńców. Jeśli Szanowny Pan sobie życzy, można ją przemalować na inny kolor – jesteśmy do usług. Wystarczy, że poinformują nas Państwo, że wolą bardziej żywy odcień. Naszym skromnym zdaniem, biel dostatecznie ożywia naturalne otoczenie, ale nie mamy nic przeciwko temu, żeby przemalować altanę wedle Pańskiego gustu.

Przyjeżdżajcie śmiało, zapraszamy! Posiłki, zgodnie z Pańskim życzeniem, nie będą dostarczane tutaj z Café Salmonella, lecz z lokalu wyspecjalizowanego w podwieczorkach. Nawet hrabia byłby zadowolony z usług naszego pensjonatu. W przeciwnym razie szef spaliłby się ze wstydu. Naszą dewizą – Nawet Zły

Wybór Należy Do Ciebie. Oferowany przez nas zestaw weselny obejmuje świece, trzy bukiety kwiatów i świadectwo ślubu następującej treści: „Miłość Zwycięża Prawie Wszystko. Małżeństwo zawarli Beatrycze i Lemony Snicket".

Kochani!

Wszystko pójdzie jak z płatka, zobaczycie. Trzymajcie się! Obiecujemy wiele uciech i piękną pogodę, chociaż w tej chwili z dala słychać grzmoty. Ale w dniu Państwa ślubu słychać będzie tylko *dzyń, dzyń dzyń* weselnych dzwonów!

Z całym należnym szacunkiem

Winnica

Beatrycze i Lemony
Miłość Zwycięża
Prawie Wszystko

Winnica Wonnych Gron

Szanowny Panie Szpetny!

Gratulacje z okazji zbliżającego się ślubu! Więc już niebawem czeka Pana wesele! To wielka radość dla Winnicy Wonnych Gron.

Załączamy nagrodzone na konkursie zdjęcie naszej uroczej altany dla nowożeńców, pomalowanej na biało. Naszym zdaniem, biel fantastycznie ożywia naturalne otoczenie.

Posiłki, zgodnie z Pańskim życzeniem, dostarczane będą z Café Salmonella. Z żalem informujemy, że nie jesteśmy w stanie zapewnić cukiernic, których domagała się w oddzielnym liście Pańska narzeczona, Esmeralda. Winnica Wonnych Gron czyni wszystko, aby zadowolić swoich gości, jednak pewne rzeczy są po prostu niemożliwe.

Oprócz altany i wyżywienia zapewniamy bezpłatnie następujące akcesoria weselne: świece na uroczystość, trzy bukiety kwiatów, świadectwo ślubu, które zechce Pan zapewne oprawić w ramkę i wywiesić w swym nabytym niedawno apartamencie na ostatnim piętrze, a także upominek specjalny – fotografię naszego uroczego ośrodka z napisem: „Jeremi i Esmeralda: Pobrali Się Po Jednym Dniu Znajomości".

Nie możemy, naturalnie, obiecać, że przez cały tydzień Państwa pobytu u nas utrzyma się piękna pogoda, mamy jednak taką nadzieję.

Z całym należnym szacunkiem

Winnica

Jeremi i Esmeralda:
Pobrali Się
Po Jednym Dniu Znajomości

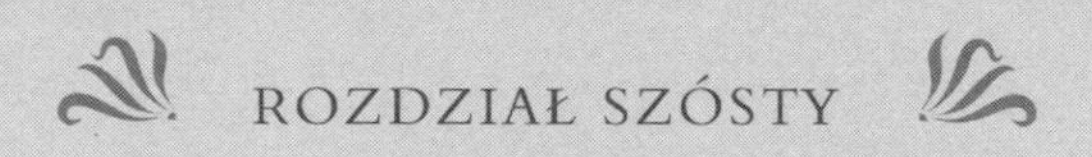

ROZDZIAŁ SZÓSTY

~~Co to jest W~~ZS?

Dlaczego ten statek odpłynął trzy godziny za wcześnie?

DZIENNIK PUNCTILIO

„Wszystkie wieści w zwięzłej treści"

DZIŚ SPECJALNY FOTOREPORTAŻ:

STATEK ODPŁYWA ZA WCZEŚNIE!

Powyżej: Statek „Prospero", który miał wypłynąć z Doku Dedala o godzinie 8.00, lecz z niewiadomych powodów opuścił port przed godziną 5.00.

Oficer pokładu pasażerskiego „Czarny Wodospad", który usiłował wyjaśnić reporterom „Dziennika Punctilio", dlaczego statek odpływa przedwcześnie, lecz z powodu głośnej pracy silników słychać było tylko: „Faza druga" i „Psia krew!".

Pasażerowie z biletami na rejs „Prospera", uwięzieni na trapie po odpłynięciu statku. „Nie mam zamiaru wracać wpław!" – wykrzyknął jeden z nich, pan E, który nie życzył sobie ujawnienia pełnego nazwiska.

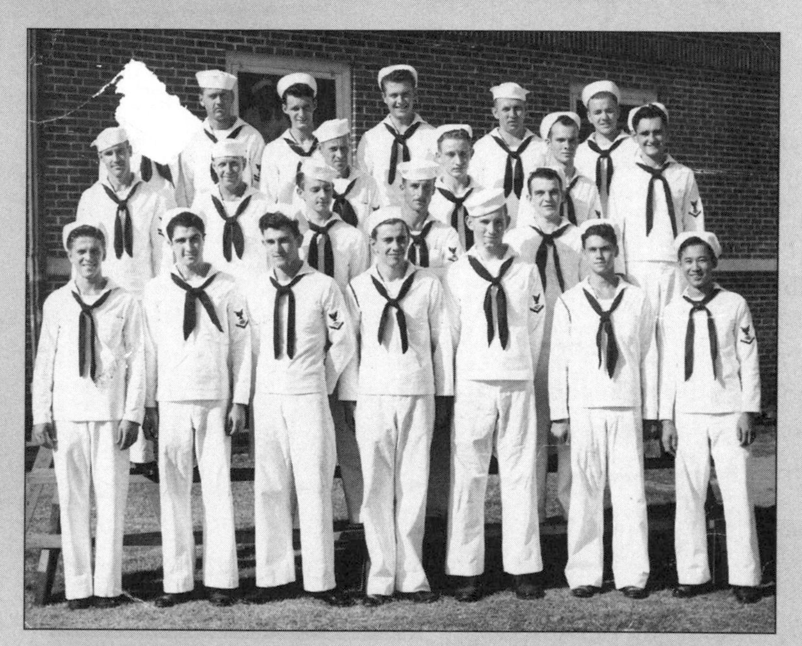

„Dziennikowi Punctilio" udało się zdobyć zdjęcie załogi „Prospera". Czyżby któryś z tych marynarzy winien był przedwczesnego odpłynięcia statku? W pierwszym rzędzie, od lewej, stoją: marynarz Gantos, marynarz Eager, marynarz Kerr, marynarz Whelan, marynarz Cleary, marynarz Snyder i marynarz Sones. W drugim rzędzie, od lewej: marynarz Seibold, marynarz Walsh, marynarz Selznick, marynarz Creech i marynarz Danziger. W trzecim rzędzie, od lewej: marynarz Konigsburg, marynarz Lowry, marynarz Scieszka i marynarz Griffin. W czwartym rzędzie, od lewej: marynarz Snicket, marynarz Dahl, marynarz Woodson, marynarz Bellairs, marynarz Kalman i marynarz Peck.

Uwaga! Jutro specjalny fotoreportaż:

AUTOBUS PRZYJEŻDŻA ZA PÓŹNO!

O, Bracie!

Mam nadzieję, że ta paczka dotrze do Ciebie bezpiecznie, że Ty sam będziesz bezpieczny, gdy ta paczka do Ciebie dotrze, i że ja zdołam bezpiecznie zadbać o to, by ta paczka dotarła do Ciebie bezpiecznie, zabezpieczona w sejfie.

Twoja recenzja sztuki Funcoota zmieniła wszystko. Wielki to dla nas cios, wprost niewyobrażalny, że nie będziemy się już mogli komunikować z Tobą poprzez „Dziennik Punctilio". Organizacja poinformowała mnie, że zostaniesz wykluczony, o ile to okaże się możliwe. Jeśli okaże się to niemożliwe, też zapewne zostaniesz wykluczony.

W załączonym sejfie znajdują się materiały i rekwizyty Kursu dla Przebierańców: Faza Pierwsza i Druga. W normalnych okolicznościach nowi wolontariusze, tacy jak my, odbywają kursy dla przebierańców dopiero po okresie terminowania, my jednak, Bracie, już od dłuższego czasu nie działamy w normalnych okolicznościach. Na przykład ja w tej chwili, zamiast przebywać w normalnych okolicznościach, przebywam w wodzie i to na głębokości dwudziestu metrów. Bracie, musisz uciekać. Musisz uciekać i to szybciej niż kiedykolwiek dotąd, o ile zostałem dobrze poinformowany.

Po zapoznaniu się z materiałami przebierz się, jak uważasz i przepraw promem do miasteczka nad Jeziorem Łzawym. Tam, na głównej ulicy, znajdziesz specjalistyczną restaurację o nazwie Smutny Klaun. Karmią paskudnie, ale obawiam się, że musisz tam jadać do czasu, aż trafisz na kelnera, który wypowie do Ciebie następujące zdanie: „Nie wiedziałem, że to smutna okazja". Po tym poznasz, że jest on jednym z nas. Odpowiesz kelnerowi: „U nas zawsze cicho, sza" – na co on wręczy Ci list z instrukcją, jak wyjechać z kraju. Zastosuj się bezwzględnie do tej instrukcji i uważaj, abyś nie był śledzony, kiedy śledzisz wiadome osoby.

Grozi nam, Bracie, wielkie niebezpieczeństwo; dlatego przed dłuższy czas nie możemy się kontaktować. Nie pisz do D. Nie dzwoń do K. Nie porozumiewaj się z B, nawet przez telegram czy gołębia pocztowego. Ja sam spróbuję skomunikować się z B, żeby przypadkiem nie uwierzyła w te okropności wypisywane w „Dzienniku Punctilio". Tobie nie wolno, bo ryzykujesz życie jej i własne.

Nie wiem, Bracie, kiedy znów się spotkamy. Może przyjdzie taki dzień, że znów będzie u nas cicho, sza – ale do czasu ugaszenia pożarów musimy podążać oddzielnymi drogami, każdy na własne ryzyko. Mam wrażenie, Lemony, że oddalamy się od siebie, że jeden z nas pozostał na ziemi, a drugiego unosi w niebo jakaś osobliwa machina – coś na kształt samowystarczalnego balonowego domu, o którego konstrukcji stale mówi H. Mam nadzieję, Bracie, że kiedyś powrócisz tu do nas.

Z całym należnym szacunkiem

Jacques

Jacques

PS Kombinacja otwierająca sejf składa się z trzech cyfr, identycznych z numerem adresu naszej kwatery głównej przy Alei Ciemnej.

PORADNIK PRZEBIERAŃCA

FAZA PIERWSZA: WIELCE ZWODNICZA STYLIZACJA TWARZY

Rekwizyty obowiązkowe: twarz

Rekwizyty dodatkowe: kapelusz

Chociaż słowo „przebierać się" w potocznym użyciu oznacza: „zmieniać strój dla ukrycia własnej tożsamości", nie zawsze musimy zmienić strój, aby zmienić swój wygląd. Przyjrzyjmy się fotografiom na następnej stronie. Na pierwszy rzut oka odnosimy wrażenie, że przedstawiają one dwanaście różnych osób. Jednak po uważnym ich przestudiowaniu stwierdzimy, że mamy przed sobą dwanaście różnych fotografii tej samej osoby, która po prostu zmienia wyraz twarzy (uśmiecha się, sroży, odwraca w różne strony itd.). A więc do oszukania dalekowidza lub półgłówka wystarczy wielce zwodnicza stylizacja twarzy.

Prosimy sprawdzić starannie, czy kursant otrzymał wszystkie wymienione w nagłówku rekwizyty niezbędne i dodatkowe.

Wykonaj próbę. Czeka Cię sprawdzian.

„U nas zawsze cicho, sza".

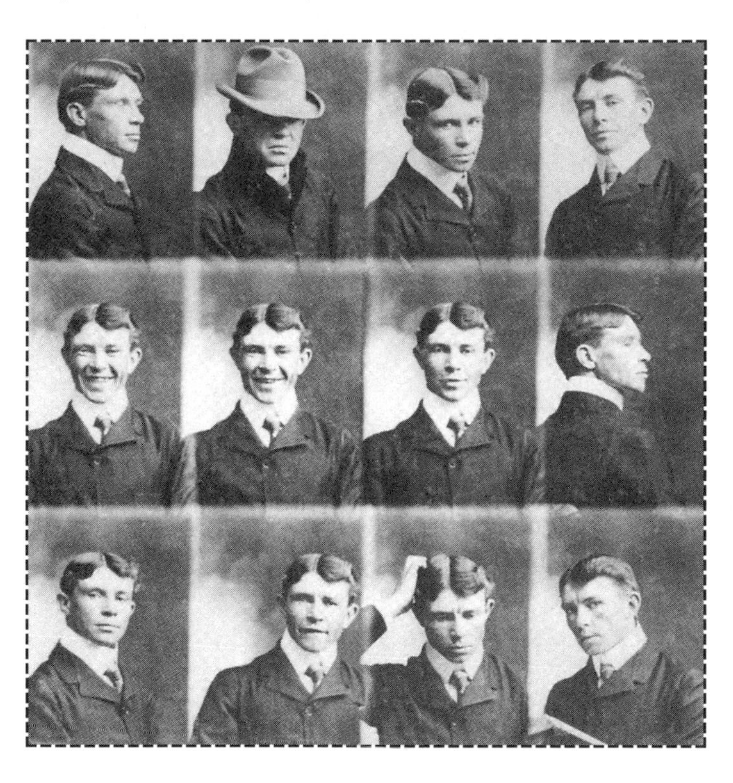

PORADNIK PRZEBIERAŃCA

FAZA DRUGA:
WIELCE ZWODNICZA SCENOGRAFIA POSTACI

Rekwizyty obowiązkowe: podręczny zestaw do charakteryzacji

bukiet kwiatów

buty z cholewami (czarne)

buty (zwyczajne)

buty (plastikowe)

buty (trampki)

buty (wyjściowe)

czapka (marynarska)

czapka (portiera)

czapka (kucharska)

cylinder

dres

fotografie fałszywych członków rodziny

garnitur (czarny)

garnitur (w prążki)

kamizelka (wyszywana złotą nitką)
kapelusz (kowbojski)
kapelusz (z piórami)
kask (motocyklowy)
kitel (lekarski)
klapka na oko
kombinezon
kostium (klauna)
kostium (łososia)
marynarka (turkusowa)
maska (chirurgiczna)
maska (czarna, obcisła)
noga (drewniana)
notes
odznaka detektywa
okulary (ciemne)
peleryna (szkarłatna, jedwabna)
peruka (blond, z warkoczami)
peruka (siwa, sędziowska)
peruka (wielobarwna, błazeńska)
peruka (biała, kędzierzawa)
pieniądze (na zakup innych rekwizytów lub słodyczy)
plakietka z nazwiskiem (do przypięcia)
plakietka z nazwiskiem (na biurko)

płaszcz (długi, ciemny)
płaszcz (granatowy, z wpiętą odznaką)
płaszcz (portiera, za luźny)
płaszcz (przeciwdeszczowy)
płaszcz (średniej długości, beżowy)
pończochy
ręce (sztuczne)
rękawiczki
rondle
spodnie (codzienne)
spodnie (srebrne)
strój (marynarski)
suknia ślubna
szpicruta (wysadzana klejnotami, z ukrytym mieczem)
szpicruta (tradycyjna)
toga (czarna)
turban
welon
węgiel (kawałek)
wizytówka (do noszenia w portfelu lub kieszeni)
zestaw do makijażu (szminka, cień do powiek, szklane oczy, ołówek do brwi, sztuczne brwi, lakier i farba do włosów)
żyletka (do golenia głowy, nóg i/lub brwi)

Rekwizyty dodatkowe: cukiernica

„Dramatyczne czasy wymagają dramatycznych środków" – to aforyzm, który tu oznacza: „czasami trzeba zmienić coś więcej niż wyraz twarzy, aby uzyskać skuteczne przebranie". Cytując aforyzmy w rodzaju: „Do wychowania dziecka trzeba całej wioski", „Brak wiadomości to dobra wiadomość" czy „Miłość wszystko zwycięża", rzadko dajemy do zrozumienia, że wydarzy się coś pomyślnego. Dlatego nasz podręczny zestaw do charakteryzacji dla wolontariuszy został wzbogacony o słowniczek pomocnych powiedzonek. Proszę przyjrzeć się fotografiom zamieszczonym po prawej stronie. Na pierwszy rzut oka przedstawiają one dwie całkiem różne osoby. Jednak po uważnym ich przestudiowaniu stwierdzimy, że na obu figuruje ta sama osoba, która po prostu zmieniła wyraz twarzy i ubranie. Na zdjęciu pierwszym (A) wolontariuszka (B) posługuje się prawdziwą twarzą i codziennym strojem, przez co jest łatwo rozpoznawalna dla swoich wrogów. Na zdjęciu drugim (C) ta sama wolontariuszka (B, lecz pod przybranym imieniem D) uległa zasadniczej przemianie, dzięki zastosowaniu podręcznego zestawu do charakteryzacji WZS – tym samym stała się kompletnie nierozpoznawalna, szczególnie gdy zasłania ją stojący na pierwszym planie staruszek (D, pod przybranym imieniem B).

A.

C.

Prosimy o dokładne sprawdzenie podręcznego zestawu do charakteryzacji, celem upewnienia się, że zawiera on wszystkie obowiązkowe rekwizyty wymienione na poniższej liście oraz rekwizyty dodatkowe na wszelki wypadek. Podajemy w porządku alfabetycznym niektóre przebrania, osiągalne dzięki kombinacji rekwizytów obowiązkowych:

Admirał: płaszcz (przeciwdeszczowy) + wizytówka służbowa

Brygadzista: kombinezon + maska (chirurgiczna) + peruka (biała, kędzierzawa) + rondle (uwaga! ten sam zestaw może posłużyć za kostium Chirurga albo Sprzedawcy Rondli Cierpiącego na Alergię)

Detektyw: okulary (ciemne) + buty (plastikowe) + odznaka detektywa + spodnie (srebrne) + marynarka (turkusowa)

Kapitan kutra: klapka na oko + drewniana noga + czapka (marynarska) + wizytówka służbowa

Kelner: kostium (klauna lub łososia) + peruka (wielobarwna, błazeńska, o ile występujemy w kostiumie klauna) + plakietka z nazwiskiem

Kucharz: płaszcz (przeciwdeszczowy) + czapka (kucharska)

Miłośnik opery: cylinder + garnitur (czarny) + buty (wyjściowe) + pieniądze (aby sprawiać wrażenie zamożnego)

Nudysta: nic

Okulistka: kitel (lekarski) + buty (czarne) + szpicruta (wysadzana klejnotami, z ukrytym mieczem) + peruka (blond, z warkoczami)

Panna młoda: suknia ślubna + bukiet kwiatów + welon

Pomocnik laboranta: płaszcz (długi, ciemny) + żyletka (do golenia głowy i brwi)

Portier: czapka (portiera) + płaszcz (portiera, za luźny) + węgiel (kawałek)

Recepcjonistka: zestaw do makijażu + buty (zwyczajne) + pończochy + plakietka z nazwiskiem

Sędzia: toga (czarna) + peruka (siwa, sędziowska)

Szef policji: płaszcz (granatowy z odznaką) + buty (czarne, z cholewami) + rękawiczki + kask (motocyklowy) + motocykl (nabyty za własne pieniądze)

Taksówkarz: zdjęcie nowo narodzonego dziecka do pokazywania pasażerom

Trener: dres + trampki + turban

Toreador: peleryna (szkarłatna, jedwabna) + kamizelka (wyszywana złotą nicią) + maska (czarna, obcisła)

Uwaga: Jak dotąd nasi wolontariusze nie znaleźli zastosowania dla płaszcza beżowego średniej długości. Wykonaj próbę. Czeka Cię sprawdzian.

„U NAS ZAWSZE CICHO, SZA"

Drogi Ser!

Jeśli czyta Pan ten list, to znaczy, że udało się Panu skontaktować z właściwym kelnerem restauracji Smutny Klaun. Współczuję, że musiał Pan tam jadać. Mam nadzieję, że nie zamówił Pan Sałatki z Kurczaka z Niespodzianką.

Załączam schemat konstrukcyjny „Prospera" – statku, który zamierzamy przeszmuglować za granicę, oraz dwa bilety na rejs. Bilet pierwszy jest zwyczajny – wręczy go Pan kontrolerowi przy Wejściu (A). Wręczając bilet pierwszy, powinien Pan być przebrany za pasażera. Bilet drugi jest zaszyfrowany – wręczy go Pan mnie, na Głównym Mostku Kapitańskim (B). Wręczając bilet drugi, powinien Pan być przebrany za marynarza. Ja będę przebrany za Kapitana, z wykorzystaniem rekwizytów do Wielce Zwodniczej Scenografii Postaci z Fazy Drugiej Kursu dla Przebierańców.

Aby dostać się na Główny Mostek Kapitański (B), musi Pan przejść przez Salon Białych Marynarek (C), Salę Balową (D) i Kręgielnię (E). Uwaga! Proszę omijać Pokład Dzwonnika (F), Pokład Czarnej Gwinei (G) i Pokład Czarnych Wodospadów (H). Tam z pewnością ulokują się nasi wrogowie, poprzebierani za pasażerów i/lub mewy. Jeśli Pana zobaczą, najprawdopodobniej wyrzucą Pana za burtę (I).

Z chwilą, gdy przybędzie Pan i wręczy mi bilet drugi, zaszyfrowany, statek odpłynie. Powodzenia, Ser.

„U nas zawsze cicho, sza".

Z całym należnym szacunkiem

Kapitan S.

Kapitan S (alias J)

PS Tak się składa, że dosyć lubiłem Pana recenzje w „Dzienniku Punctilio", więc z przykrością dowiedziałem się, że nie będzie Pan już ich pisywał.

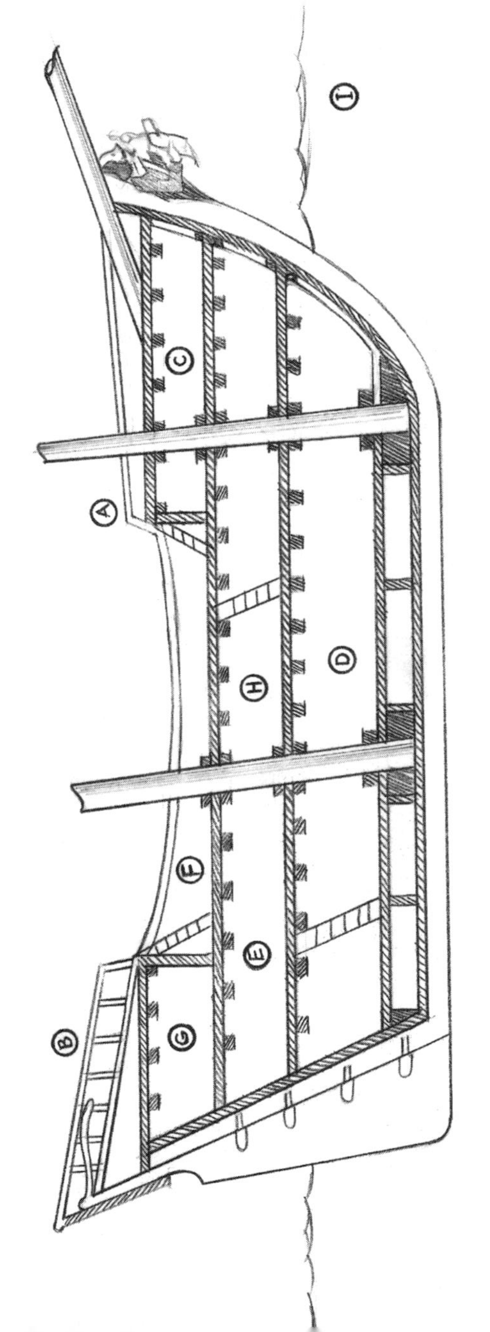
A
B
C
D
E
F
G
H
I

Czyś w dostatku, czy w potrzebie

Dzwonek znajdziesz z boku bramy

Wstąp do środka, zapraszamy.

PROSPERO

Każdy Statek Ma Swój Styl

Wszystkie rejsy statkiem

„Prospero"

z Doku Dedala

zawsze o ósmej zero zero.

Prosimy o punktualność.
Spóźnialscy będą zmuszeni
podróżować wpław.

KARTA POKŁADOWA

Ten odcinek kontrolny należy zachować
do końca podróży.

...

Esta Porción del oase de abordar debe
guardarse como prueba de su viaje.

Mamy miejsce tu dla Ciebie

Wolontariusz na sto dwa

Będzie z Ciebie wolontariusz

Na nic krzyki i protesty

PROSPERO

Każdy Statek
Ma Swój Rozkład Rejsów

Wszystkie rejsy WZS statkiem

„Prospero"

z Doku Dedala

o godzinie zależnej od okoliczności

Prosimy o punktualność.
Spóźnialscy będą zmuszeni
podróżować wpław.

KARTA POKŁADOWA

Ten odcinek kontrolny należy zachować
do końca podróży.

...

Esta Porción del oase de abordar debe
guardarse como prueba de su viaje.

U nas zawsze cicho, sza.

ROZDZIAŁ SIÓDMY

Czym poplamiona została marynarka tego mężczyzny?

~~Dlaczego sekretny tunel~~

~~łączy willę Baudelaire'ów~~

~~z domem przy Alei Ciemnej 667?~~

DZIENNIK PUNCTILIO

„Wszystkie wieści w zwięzłej treści"

MORDERSTWO W TARTAKU SZCZĘSNA WOŃ!

Tartak Szczęsna Woń w niedużym miasteczku Paltryville stał się niedawno sceną ponurej zbrodni. Zanim przybyli detektywi, na miejscu zjawił się pewien wolontariusz (na zdjęciu z prawej), który prosi o nieujawnianie swojego nazwiska. Po wnikliwym śledztwie doszedł on do wniosku, że zbrodnię popełnił Hrabia Olaf, przy współudziale osobnika cierpiącego na widoczny brak włosów, którego nazwisko

Wolontariusz badający urządzenie, które stało się narzędziem zbrodni.

DZIENNIK PUNCTILIO

„Wszystkie wieści w zwięzłej treści”

WYPADEK W TARTAKU SZCZĘSNA WOŃ!

Detektyw Smith, detektyw Jones i detektyw Smithjones badający urządzenie, które spowodowało wypadek.

Tartak Szczęsna Woń w niedużym miasteczku Paltryville stał się niedawno sceną ponurego wypadku. Trzej detektywi (na zdjęciu z lewej), którzy chętnie zdradzili swoje nazwiska „Dziennikowi Punctilio”, przybyli bezzwłocznie na miejsce zdarzenia i po wnikliwym śledztwie doszli do wniosku, że nikt nie jest winien, ponieważ był to wypadek. „To kolejna sprawa, którą udało nam się rozwiązać bez pomocy wolontariuszy” – skomentował detektyw Smith albo detektyw Jones, nie pamiętam. „Przykro mi tylko z jednego powodu – dodał na koniec – oczywiście, pomijając trupa: że niechcący zachlapałem sobie marynarkę kawą”.

Geraldine Julienne,
reporterka „Dziennika Punctilio"

Droga Pani Esmeraldo!
To nadzwyczajne! Nie mogę wprost uwierzyć, że dostałam list od tak ważnej osoby jak Pani. No bo przecież jest Pani nie tylko szóstą najważniejszą doradczynią finansową miasta, ale także słynną aktorką – a napisała Pani do mnie, prostej reporterki!

Jak Pani wiadomo, redaktor naczelna „Dziennika Punctilio" zwolniła właśnie z pracy naszego krytyka teatralnego, nazwiska nie pamiętam (nie szkodzi, nigdy nie byłam mocna w zapamiętywaniu nazwisk, a i tak jestem niezłą reporterką!!!), więc mogę Panią zapewnić, że już nigdy nie przeczyta Pani niepochlebnej recenzji o swoich występach na scenie, czy to w którejś ze sztuk Ala Funcoota, czy jakiejkolwiek innej.

Mam nadzieję, że napiszę kiedyś wielki reportaż na pierwszą stronę – na przykład o morderstwie – ale na razie, jak Pani wiadomo, prowadzę tylko nudną stałą rubrykę pt. „Tajne organizacje, o których warto wiedzieć". Czasami, dla ożywienia wywodu, cytuję plotki albo zmyślam coś zamiast podawać fakty. Na Pani życzenie podaję, co było prawdą, a co nie w artykule o Alei Ciemnej 667.

1. Prawdą jest, że apartament na ostatnim piętrze budynku przy Alei Ciemnej 667 zakupił niedawno niejaki Jeremi Szpetny.
2. Prawdą jest, że Jeremi Szpetny nie jest żonaty.
3. Na Pani życzenie ustaliłam, gdzie można znaleźć p. Szpetnego. Codziennie rano jada on śniadanie w Iście Francuskiej Jadłodajni, bardzo modnym ostatnio lokalu. Jeżeli pragnie Pani wpaść na niego „przypadkiem", to można go tam zastać w godzinach 7.30–8.30.

Powodzenia, Pani Esmeraldo! Bardzo mi pochlebia, że tak słynna aktorka znalazła czas na napisanie do mnie listu! Gdyby potrzebowała Pani kiedyś jeszcze czegoś – czegokolwiek! – proszę tylko napisać, a ja natychmiast to spełnię!

Oddana wielbicielka Pani talentu

Geraldine

Geraldine Julienne

PS Nie ma większej aktorki niż Pani!

Iście Francuska Jadłodajnia

Aleja Ciemna 141

„Le Monde Ici, C`est Calm"

Śniadanie szefa kuchni

Rożki malinowe – co tu oznacza: „pyszne wypieki" – serwowane na życzenie z domowym masłem i kupnym dżemem, lub vice versa. Do tego świeżo wyciśnięty sok z wybranych przez Klienta owoców, jarzyn i kwiatów. Kawa lub herbata, serwowana z dzbanuszkiem mleka i cukiernicą.

Cena: jak to mówią – „Skoro pytasz, to Cię nie stać".

Lunch szefa kuchni

Kanapka z samych produktów spożywczych + sałatka z samych świeżych surowców albo zupa z samych najlepszych płynów. Kompot w szklance, z papierową serwetką i cukiernicą.

Cena: taka jak za śniadanie.

Obiad szefa kuchni

Co szef zechce.

Cena: nieco wyższa niż za lunch.

Drogi Jeremi!
Przeraziło mnie zaproszenie na Twoje wesele. Spieszę przestrzec Cię listownie, abyś pod żadnym pozorem nie żenił się z tą kobietą, czy to w Winnicy Winnych Wron – przepraszam: Gron – czy gdziekolwiek indziej.

Małżeństwo z Esmeraldą odradzam Ci z tego samego powodu, dla którego namawiałem Cię, abyś zakupił apartament na ostatnim piętrze przy Alei Ciemnej 667 i nigdy, przenigdy go nie sprzedawał. Z tego też powodu nie należy się pod żadnym pozorem tatuować. Powodu tego nie mogę w pełni wyjaśnić z dwóch powodów. Pierwszym powodem, dla którego nie mogę wyjaśnić tego powodu, jest to, że złożyłem przysięgę, iż powodu tego nikomu nie zdradzę. Drugim zaś powodem, dla którego nie mogę wyjaśnić tego powodu, jest to, że gdybyś poznał ten powód – albo choćby dwa powody, dla których nie mogę wyjaśnić tego powodu – stałoby się to powodem tego, że nagle znalazłbyś się w niebezpieczeństwie. Chociaż jednak nie mogę wyjaśnić Ci tego powodu z dwóch wyżej wyjaśnionych powodów, pragnę dać Ci jego racjonalne uzasadnienie i dlatego wyznam wszystko, co mogę.

Nie jestem naprawdę detektywem, mój Przyjacielu. Jestem członkiem organizacji, która wymaga od swych członków udawania, że wykonują rozmaite zawody: detektywa, kapitana statku, krytyka teatralnego, księżnej, pisarza itp. Organizacja ta od wielu lat stosowała metody równie szlachetne, jak sekretne, lecz ostatnio dotknięta została schizmą – co tu oznacza: „jeden z jej członków zaczął się zachowywać chciwie i brutalnie, co spowodowało rozpad organizacji na dwie zwalczające się grupy". Członek, o którym mowa – nazwę go tu O, chociaż obecnie woli nazwisko S – dopuścił się w ostatnim okresie wielu czynów nagannych, niegodnych i niekulturalnych, które wzdragam się tu opisać.

Zapewne dziwi Cię, że o tych czynach nagannych, niegodnych i niekulturalnych nie czytałeś w gazecie, mam jednak powody podejrzewać, że O znalazł sposób fałszowania artykułów w „Dzienniku Punctilio", aby uniknąć aresztowania. Dla przykładu, w niedawnym artykule opisano tragiczny wypadek w Tartaku Szczęsna Woń, wyjaśniony przez detektywa, który utrzymuje, że zachlapał sobie kawą marynarkę. Tymczasem to ja, działając jako wolontariusz, przybyłem do owego tartaku grubo przed detektywami i od razu zorientowałem się, że śmierć ofiary nie nastąpiła przypadkiem.

Sytuację najlepiej charakteryzuje kuplet, który znalazłem w wiosce, gdzie się obecnie ukrywam. Cytuję:

Ktoś w tej gazecie nadal zmienia teksty zawzięcie:
Plama na marynarce jest nie po kawie,
lecz po czarnym atramencie.

Błagam Cię, Jeremi, nie żeń się z tą kobietą.

Z całym należnym szacunkiem

Jacques

Jacques Snicket

Drogi Jacques!

Jestem rozczarowany, że nie odpowiedziałeś na moje zaproszenie na ślub. Pytałem nawet portiera, czy nie odłożył gdzieś omyłkowo listu do mnie, który przyszedł być może, gdy odbywałem swój miodowy miesiąc, on jednak roześmiał się na samą myśl o takiej pomyłce. Mimo to na wszelki wypadek postanowiłem napisać do Ciebie ponownie.

Esmeralda i ja pobraliśmy się, jesteśmy szczęśliwi i mieszkamy w apartamencie na ostatnim piętrze, do którego zakupu tak usilnie mnie namawiałeś, podkreślając, abym go nigdy, przenigdy nie sprzedawał. Nie wiem czemu – może wyjaśnisz mi powód, gdy do nas kiedyś wpadniesz. Esmeralda mówi, że wprost nie może się doczekać, kiedy Cię pozna i potraktuje wreszcie tak, jak na to zasługujesz. Przypuszczam, że ma na myśli jakiś prezent. Prosiłem ją o wyjaśnienie, ale tylko się zezłościła – a ja, jak Ci wiadomo, nie znoszę kłótni.

List ten przekażę portierowi, aby mieć pewność, że go otrzymasz. Bardzo bym nie chciał stracić kontaktu z takim przyjacielem jak Ty.

Twój kumpel

Jeremi

Jeremi

PS Rozważamy zaadoptowanie kilkorga dzieci – myślisz, że to dobry pomysł? Wiesz, że zawsze stosuję się do Twoich porad, drogi Przyjacielu.

Dlaczego te dzieci nie mają nic lepszego do roboty jak siedzieć przed budynkiem i gapić się ponuro w obiektyw?

ROZDZIAŁ ÓSMY

~~Dlaczego pan Poe nie pomaga dzieciom tak, jak powinien?~~

Sad

Szkoła Powszechna im. Prufrocka

Neron

„Memento ~~Mori~~"

Pamiętaj, ~~że umrzesz~~

największego skrzypka na świecie

Szanowni Państwo Plujko!

Uprzejmie dziękuję za nadesłanie mi artykułu opublikowanego w Dzienniku Punctilio. Słusznie przypuszczali Państwo, że nie czytałem o niebezpieczeństwie, jakim może być dla młodzieży lektura pewnych książek. W Dzienniku Punctilio czytuję bowiem tylko rubrykę muzyczną, mając nadzieję, że ukaże się w niej kiedyś artykuł o największym skrzypku świata (czyli o mnie).

Pod wpływem otrzymanego od Państwa artykułu zwolniłem z pracy panią K., nauczycielkę zatrudnioną na miejsce pana Remory, który po zadławieniu się bananem postanowił przejść na emeryturę. W przeciwieństwie do pana Remory, pani K. nie miała zwyczaju jeść na lekcji, opowiadając uczniom zwięzłe historyjki. W zamian za to dawała dzieciom do czytania książki, i to całkiem niewłaściwe, co zrozumiałem dopiero po artykułach Eleonory Poe, uczciwej i godnej zaufania redaktor naczelnej Dziennika Punctilio, a także głównej reporterki tej gazety, Geraldine Julienne. Gdy poinformowałem panią K.

o swojej decyzji, zachowała się ona dokładnie tak, jak przystało na nieodpowiednią nauczycielkę: porwała za nogi dwoje dzieci i uciekła z nimi przez trawnik przed szkołą. Proszę się nie niepokoić – żadne z tych dzieci nie było uroczą córeczką Państwa, Karmelitą. Były to dwie zastępcze sieroty, przyjęte na miejsce tej niesfornej trójki Baudelaire'ów, która przysporzyła tak wielu kłopotów Trenerowi Dżyngisowi. Porwane sieroty były tak głupie – jak to zwykle sieroty – że nawet nie wyglądały na przestraszone, kiedy pani K. z nimi uciekała. Miny miały bardzo poważne, jakby podejmowały jakąś dziejową misję.

Po odejściu pani K. życie szkolne toczy się dość niemrawo. Jak Państwu wiadomo, nauczyciel wuefu, Trener Dżyngis, też już u nas nie pracuje, a pani Bass notorycznie bierze dzień wolny z powodu jakichś pilnych spraw w banku. Bez nauczycieli dzieci nie mają nic lepszego do roboty, jak siedzieć przed budynkiem szkolnym i gapić się ponuro w obiektyw aparatu fotograficznego, który ustawiłem pod wielkim kamiennym łukiem z wyrytym mottem naszej szkoły. Na plus tej sytuacji zaliczyć mogę jedynie to, że mam teraz mnóstwo czasu na ćwiczenie gry na skrzypcach.

Jestem Państwu szczerze zobowiązany, że będąc tak zapracowanymi rodzicami, znaleźliście czas, aby zwrócić moją uwagę na wspomniany artykuł. Jeszcze raz dziękuję i proszę podziękować w moim imieniu p. Eleonorze Poe, gdyby ją Państwo przypadkiem spotkali.

Z umiarkowanym szacunkiem

Wicedyrektor Neron

Wicedyrektor Neron

PS Załączam listę książek, które pani K. zamierzała podsunąć uczniom, aby unaocznić Państwu, jak wielkiego zagrożenia zdołaliśmy uniknąć.

Cleary, Beverly, Ramona Quimby, lat osiem

Dahl, Roald, Matylda

Doyle, Vincent Francis, Iwan Krzywy – badacz jeziora

Grimm, bracia, Baśnie braci Grimm

Hudson, W.H., Zielone domy

Poe, Edgar Allan, Zaszyfrowane poezje Edgara Allana Poe

Pukalie, Lena, Zgubiłam coś w kinie

Salinger, J.D., Dziesięć opowiadań

Sir (?), Historia Tartaku Szczęsna Woń

Snicket, Lemony, Seria niefortunnych zdarzeń

White, E.B., Pajęczyna Szarloty

Wilder, Laura Ingalls, Mały domek w Wielkich Lasach

Szanowny Panie Funcoot!

Uprzejmie dziękuję za nadesłanie mi artykułu opublikowanego w „Dzienniku Punctilio". Słusznie przypuszczał Pan, że nie czytałem o zagrożeniu, jakie spowodować mogą słupy telegraficzne stojące pionowo. W „Dzienniku Punctilio" czytuję bowiem tylko bieżące doniesienia o zamordowaniu Hrabiego Omara przez trójkę zdeprawowanych dzieci.

Pod wpływem przesłanego przez Pana artykułu wykarczowałem wszystkie słupy telegraficzne na swojej ulicy. Dzięki Eleonorze Poe, uczciwej i godnej zaufania redaktor naczelnej „Dziennika Punctilio", oraz wybitnej reporterce tej gazety, Geraldine Julienne, kierowcy podróżujący Ulicą Umiarkowanie Uczęszczaną nie będą narażeni na to, że nagle zwali się na nich słup telegraficzny.

Jestem Panu szczerze zobowiązany, że będąc tak zapracowanym dramatopisarzem, znalazł Pan czas, aby zwrócić moją uwagę na wspomniany artykuł. Jeszcze raz dziękuję i proszę podziękować ode mnie pani Eleonorze Poe, gdyby ją Pan przypadkiem spotkał.

Ze średnim szacunkiem

PS Załączam zdjęcia kilku z wykarczowanych przeze mnie słupów telegraficznych, aby unaocznić Panu, jak wielkiego zagrożenia zdołaliśmy uniknąć.

STOP

Wczoraj w nocy, nie mogąc zasnąć, postanowiłem poczytać do poduszki najnudniejszą książkę ze swojej biblioteki. Proszę sobie wyobrazić moje zdziwienie, gdy między str. 302 a str. 303 znalazłem taśmę magnetofonową. Nagranie jest mocno zakłócone przez szumy, jednak udało mi się spisać następującą rozmowę:

MĘŻCZYZNA: (kaszle)

KOBIETA: To straszne, Arturze. Ten kaszel męczy cię, odkąd oboje byliśmy mali, i wcale nie przechodzi.

MĘŻCZYZNA: Nie przejmuj się, Eleonoro. Dziękuję, że umówiłaś się ze mną na lunch.

KOBIETA: Ależ to żadne poświęcenie zjeść obiad z bratem. A restauracja wydaje się urocza.

MĘŻCZYZNA: Bo jest urocza. Niedawno byłem tu służbowo w sprawach bankowych i lunch był bardzo miły, chociaż jednym z zaproszonych gości okazał się notoryczny przestępca. Polecam Rozweselające Serburgery.

KOBIETA: Sałatka z Kurczaka z Niespodzianką też brzmi nieźle. Kelner! Chcielibyśmy zamówić.

KELNER: Nie wiedziałem, że to smutna okazja.

KOBIETA: Słucham?

MĘŻCZYZNA: On tak mówi do każdego. Zanim przyszłaś, podszedł tu do mnie i powiedział dokładnie to samo.

KOBIETA: O co mu chodzi?

MĘŻCZYZNA: (kaszle)

KELNER: Nie wiedziałem, że to smutna okazja.

MĘŻCZYZNA: Niech pan przestanie to powtarzać! To nie jest smutna okazja! Przyszedłem zjeść lunch z siostrą.

KOBIETA: Prosimy jeden Rozweselający Serburger i jedną Sałatkę z Kurczaka z Niespodzianką, i niech pan przestanie się wygłupiać.

KELNER: Nie wiedziałem...

KOBIETA: Dość tego. Co za dziwny kelner. Powiedz lepiej, Arturze, cóż to za ważną sprawę chciałeś ze mną omówić?

MĘŻCZYZNA: (kaszle)

KOBIETA: Kaszel już omówiliśmy.

MĘŻCZYZNA: Kiedy ja naprawdę zakaszlałem, Eleonoro. A omówić z tobą chciałem sprawę natury delikatnej. Zauważyłem, że od pewnego czasu artykuły w twojej gazecie dotyczące sprawy Baudelaire'ów są, jak by to powiedzieć...

KOBIETA: Przepraszam cię, Arturze. Proszę pana, dlaczego pan podstawia nam mikrofon?

MĘŻCZYZNA: Ależ ja nie podstawiam żadnego mikro...

KOBIETA: Nie ty, Arturze. Pan, proszę pana.

KELNER: Ja? Nie wiedziałem, że to smutna...

KOBIETA: Nie, pan też nie. Pan! Pan z mikrofonem! Pan, który udaje, że mnie nie słyszy! Mówię do pana! Proszę natychmiast wyłączyć mikrofon!

Koniec nagrania.

BIURO WICEPREZESA DS. SIEROT
MECENAT MNOŻENIA MAMONY

„U NAS LICZĄ SIĘ TWOJE PIENIĄDZE"

DROGA ELEONORO!

DZIĘKUJĘ ZA NADESŁANIE MI ARTYKUŁU OPUBLIKOWANEGO W „DZIENNIKU PUNCTILIO". SŁUSZNIE PRZYPUSZCZAŁAŚ, ŻE NIE CZYTAŁEM O TYM, JAK NIEBEZPIECZNE JEST PRZESYŁANIE TELEGRAMÓW DO BANKU. JEDYNE BOWIEM, CO CZYTAM W „DZIENNIKU PUNCTILIO", TO RUBRYKA FINANSOWA.

POD WPŁYWEM PRZESŁANEGO PRZEZ CIEBIE ARTYKUŁU POINSTRUOWAŁEM WSZYSTKICH PRACOWNIKÓW MECENATU MNOŻENIA MAMONY, ABY LEKCEWAŻYLI WSZELKIE TELEGRAMY NADCHODZĄCE DO NASZEGO BANKU. DZIĘKI TOBIE, MOJA UCZCIWA I GODNA ZAUFANIA SIOSTRO, ORAZ GŁÓWNEJ REPORTERCE TWOJEJ GAZETY, GERALDINE JULIENNE, WICEPREZES DS. SIEROT POLEGAĆ BĘDZIE TYLKO NA INFORMACJACH UZYSKANYCH OD CIEBIE, ZAMIAST CZERPAĆ JE Z NIEWIARYGODNYCH ŹRÓDEŁ.

Z FINANSOWYM POZDROWIENIEM

Wiceprezes Poe

WICEPREZES POE

PS Załączam dwa zlekceważone ostatnio telegramy, aby unaocznić Ci, jak wielkiego zagrożenia zdołaliśmy uniknąć.

PPS Miałaś wiadomości od Wiesz Kogo?

western bunion

OZNACZENIE KODOWE QKC TELEGRAM PD PLATNE

ADRESAT: P. POE MECENAT MNOZENIA MAMONY
NADAWCA: WIOLETKA KLAUS I SLONECZKO BAUD

PROSZE NIE WIERZYC W TO CO O NAS
PISZE DZIENNIK PUNCTILIO STOP
HRABIA OLAF WCALE NIE UMARL A MY
GO NIE ZAMORDOWALISMY STOP WKROTCE
PO PRZYBYCIU DO MIEJSCOWOSCI WZS
DOWIEDZIELISMY SIE ZE HRABIA OLAF
ZOSTAL TAM POJMANY STOP ARESZTOWANY
MEZCZYZNA MIAL CO PRAWDA TATUAZ
Z OKIEM NA NODZE I POJEDYNCZA BREW
ALE TO NIE BYL HRABIA OLAF STOP
TEN CZLOWIEK NAZYWAL SIĘ JACQUES
SNICKET STOP NA DRUGI DZIEN

ZNALEZ
MIASTA
Z NARZ
STOP R
MAJATK
OLAF R
I PRZ

121

BLANKIET

Przed wypełnieniem prosimy zapoznać się z instruk

WYPEŁNIĆ DRUKIEM LUB CZYTELNYM PISM

WU 1289 (R 5-69)

OZNACZ
KODOW

Telefax

E

O MARTWEGO A DO
YL HRABIA OLAF
ESMERALDA SZPETNA
JAC PLAN ZAGARNIECIA
YCH RODZICOW HRABIA
L SIĘ ZA DETEKTYWA
OBYWATELI WZS

Telefa

TELEGRAM PD PLATNE

P. POE MECENAT MNOZENIA MAMONY
ELEONORA POE DZIENNIK PUNCTILIO

ACIE RATUJ STOP NA POLECENIE SLYNNEJ AKTORKI
WNA REPORTERKA ZAMKNELA MNIE W PIWNICY BUDYNKU
NEGO STOP ZACZYNAM PODEJRZEWAC ZE NIEKTORE ARTYKULY
WANE PRZEZE MNIE W DZIENNIKU PUNCTILIO MIJAJA SIE
STOP BLAGAM POSPIESZ SIE STOP W TEJ PIWNICY
RASZNY BRUD I WILGOC STOP

BLANKIET NADAWCZY

Czy ją jeszcze zobaczę?

Co się stało z gadami
z kolekcji dr. Montgomery'ego?

ROZDZIAŁ DZIEWIĄTY

~~Dlaczego~~

~~Lemony Snicket~~

~~stale się ukrywa?~~

Wasza Książęca Mość!

Niestety, uderzyć muszę w dzwon wielkiego żalu. Moje uczestnictwo w Balu Maskowym u Waszej Mości jest niemożliwe. Jakkolwiek gustuję w Balach Maskowych i z największą radością wziąłbym udział w najbliższym Balu Maskowym u Pani, to wiem, że wrogowie moi – na Balu Maskowym czy jakimkolwiek innym – na pewno zechcą mnie pojmać. Wielki, wielki jest mój żal z powodu odrzucenia zaproszenia Waszej Mości, lecz wielce niebezpieczne byłoby przyjęcie go. Trwają gorliwe poszukiwania ocalałych gadów dr. Montgomery'ego, ale mnie poszukuje się z daleko większą gorliwością. Uciekam więc dalej. Będę czujny i przebiegły. Starannie wybierając kryjówki, zamierzam zatrzymywać się tylko tam, gdzie nie urządza Pani akurat Balu Maskowego, na którym ja, Lemony Snicket, jakże chciałbym być obecny.

Może następnym razem, mam taką nadzieję.

Z całym należnym szacunkiem

Lemony Snicket

Lemony Snicket

PS Dzwoni, dzwoni dzwon żalu!

Szanowny Geniuszu!
Zbieranie informacji o kolekcji gadów dr. Montgomery'ego, które mi zleciłeś, okazało się równie proste, jak szukanie igły w stogu siana – o ile nad stogiem umieszczono szyld z napisem: „Tu igła!" i kolorową strzałką wskazującą dokładnie lokalizację igły. Okazało się, że znaleźć same gady jest równie trudno, jak spaść z kłody nad przepaścią – o ile kłoda zostałaby wysmarowana lepką substancją, do której przykleiłyby nam się buty.

Jako że była to Faza Pierwsza moich poszukiwań, zastosowałam Fazę Pierwszą Kursu dla Przebierańców: Wielce Zwodniczą Stylizację Twarzy. Jak widać na zdjęciach poniżej, radykalnie zmieniłam swój wygląd przed podjęciem misji.

Tak przebrana, udałam się do miejscowej biblioteki, ozdobionej nowym szyldem następującej treści:

U nas
Czeka na Ciebie cała wiedza świata!
W bibliotece obowiązuje zasada
– Zawsze cicho, sza!

Pogwizdując jedną ze swoich ulubionych melodii, weszłam do środka i znalazłam bibliotekarza, staruszka ze schludnie ostrzyżoną siwą czupryną i podkręconym wąsem. Ubrany był tak, jakby każdy element stroju – koszulę w kwiatki, krawat w paski, tweedową marynarkę i spodnie w kratkę – nabył w całkiem innym sklepie albo na targu starzyzną. Z tym, że spodnie miał wyprasowane w nienaganny kant, a buty wyglansowane. Gdy powiedziałam mu, że poszukuję informacji o gadach z kolekcji dr. Montgomery'ego, staruszek – mimo podeszłego wieku prosty jak struna – zasalutował mi jak oficerowi i rzekł: „A byłaś grzeczna dla mamusi, moja panno?". „Słucham?" – zdziwiłam się. „Nieważne" – rzucił pospiesznie, po czym zaprowadził mnie do Działu Literatury Dziecięcej, gdzie ze zdumieniem odkryłam książkę poświęconą w całości kolekcji dr. Montgomery'ego i trójce wstrętnych dzieciaków, które ją obejrzały. Książka nosi tytuł *Gabinet gadów*. Pospiesznie wyszukałam w niej fragmenty opisujące interesującą nas kolekcję.

Z Rozdziału Drugiego:

W klatkach siedziały, oczywiście, najrozmaitsze żmije, ale nie tylko – również jaszczurki, żaby i sporo stworzeń, jakich dzieci nigdy jeszcze nie widziały, nawet na obrazku ani w zoo. Była tam, na przykład, bardzo gruba żaba, której z grzbietu wyrastała para skrzydeł, i dwugłowa jaszczurka z brzuszkiem w jaskrawożółte prążki. Była taka żmija, która miała trzy otwory gębowe, jeden nad drugim, i taka, która nie miała chyba ani jednego. Była jaszczurka, która wyglądała jak sowa: siedziała na kłodzie jak na grzędzie i wybałuszała ślepia – i była żaba, która wyglądała zupełnie jak kościół: nawet oczy miała jak witraże.

Z Rozdziału Trzeciego:

...jaszczurkę zwaną Krową Alaski – podłużne zielone stworzenie, które daje pyszne mleko. Poznały też Ropuchę Dysonansową, chropawym głosem naśladującą ludzką mowę. Nauczyły się, jak brać w ręce Atramentową

Kijankę, żeby nie poplamić sobie całych palców czarnym barwnikiem, i po czym poznać, kiedy Pyton Drażliwy jest w złym humorze. Wujcio Monty [uwaga: nie przeczytałam książki dokładnie, ale mam wrażenie, że Wujcio Monty to bliski znajomy dr. Montgomery'ego] poinstruował dzieci, że Zielona Ropuszka Koktajlowa nie powinna dostawać za dużo wody, a Wilkowęża Wirgińskiego nie wolno nigdy, pod żadnym pozorem, dopuszczać do maszyny do pisania.

Z Rozdziału Trzynastego:

– Do widzenia, do widzenia! – wołali błyskotliwi Baudelaire'owie, machając na pożegnanie gadom Wujcia Monty'ego. Stali tak w blasku księżyca i machali dalej, chociaż Bruce zatrzasnął już drzwi ciężarówki i wóz ruszył wzdłuż żmijokrzewów, a potem zjechał na Parszywą Promenadę, minął zakręt i zniknął w ciemności.

Niestety, wkrótce po tym fragmencie książka się kończy i autor nie zdradza nam, co stało się z gadami Wujcia Monty'ego, którym machały na pożegnanie gady stojące na trawniku w świetle księżyca. Autor nie wyjaśnia nawet, jak gady mogą machać – szczególnie żmije, które nawet nie mają rąk.

Po tym odkryciu byłam gotowa przejść do Fazy Drugiej, przebierając się stosownie:

Z powodu specyficznego kostiumu dalsze poszukiwania musiałam odbywać, błądząc po pastwiskach szlakiem, który najlepiej obrazuje zamieszczona obok mapa.

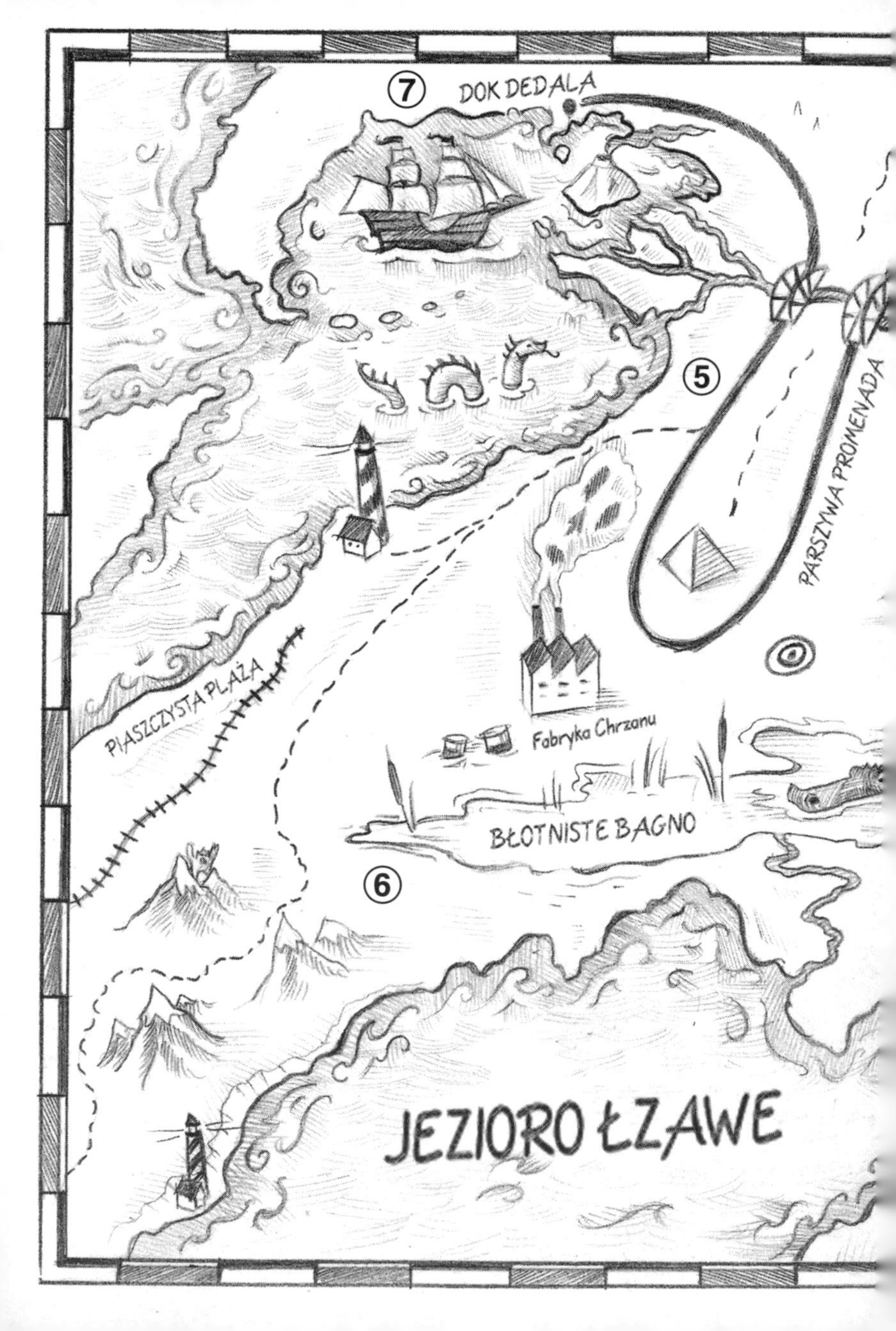

7
DOK DEDALA
5
PARSZYWA PROMENADA
PIASZCZYSTA PLAŻA
Fabryka Chrzanu
BŁOTNISTE BAGNO
6
JEZIORO ŁZAWE

na Uroczysko
1
2
rzeka Nuda
rzeka Ponurka
Katedra
Mniemanej
Dziewicy
4
3
dom dr. Montgomery'ego
ZAMGLONA
ZATOKA
8
KOLEJKA WĄSKOTOROWA
PARSZYWA PROMENADA
POMNIEJSZE PROMENADY

① Zbliżyłam się do mniemanej świątyni celem zbadania, czy nie jest to przypadkiem ta „żaba, która wyglądała zupełnie jak kościół: nawet oczy miała jak witraże”, opisana w Rozdziale Drugim. Budowla ani drgnęła – z czego wniosek, że albo jest to rzeczywiście kościół, a nie żaba, albo żaba nadzwyczajnych rozmiarów, która ma bardzo mocny sen.

② Usłyszawszy chropawy głos, przywodzący na myśl opisaną w Rozdziale Trzecim „Ropuchę Dysonansową, chropawym głosem naśladującą ludzką mowę”, schowałam się za drzewem, udając krowę, która schowała się za drzewem. Głos mruczał dalej, najwyraźniej do siebie, o tym, jak nieprzyjemnie jest kogoś topić, bo samemu trzeba się zamoczyć i to jest okropne. Wyciągnęłam stąd wniosek, że nie może to być ropucha, gdyż ropuchy lubią się moczyć.

③ W tym miejscu rosną śliczne dzikie kwiaty. Zrobiłam przerwę, żeby je powąchać.

④ Zaobserwowałam czarną żmiję, mogła to być Mamba Zła, porozumiewającą się z grupą świerszczy. Zamuczałam od niechcenia i wszyscy uciekli.

⑤ Zauważyłam żółte prążki, typowe dla „dwugłowej jaszczurki z brzuszkiem w jaskrawożółte prążki", opisanej w Rozdziale Drugim. Z bliska żółte prążki okazały się podwójną linią, wymalowaną środkiem Parszywej Promenady dla rozdzielenia pasów ruchu.

⑥ Podsłuchiwałam na biwaku. Dziecko mówiło do matki, że widziało grubą żabę, której z grzbietu wyrastała para skrzydeł – co odpowiada opisowi z Rozdziału Drugiego. Matka kazała dziecku przestać się wygłupiać. Dziecko powiedziało, że wcale się nie wygłupia. Matka przekonywała je, że owszem, wygłupia się. Dziecko upierało się, że wcale nie. Matka upierała się, że tak. Dziecko mówiło, że nie. Matka mówiła, że tak. Znudziło mnie to i poszłam dalej.

⑦ Podeszłam do pary małżeńskiej, do której najprawdopodobniej należy statek „Prospero", i spytałam, czy na pokład statku wchodziły ostatnio jakieś gady. Małżeństwo zlękło się gadającej krowy i odmówiło udziału w rozmowie.

⑧ Dostrzegłam znaki wskazujące na to, że w pobliżu znajduje się mleczarnia. Ominęłam ją, z obawy, aby mnie nie wydojono.

Z całym należnym szacunkiem

ZAŁĄCZNIK DO AKT:

Biblioteka Szkoły Powszechnej imienia Prufrocka była przytulnym pomieszczeniem, z wygodnymi fotelami, wielkimi drewnianymi regałami, mosiężnymi lampami w kształcie rozmaitych ryb oraz jasnoniebieskimi zasłonami, które falowały jak woda w lekkich podmuchach dochodzących przez otwarte okno. Bibliotekarzem był staruszek ze schludnie ostrzyżoną siwą czupryną i podkręconym wąsem. Ubrany był tak, jakby każdy element stroju – koszulę w kwiatki, krawat w paski, tweedową marynarkę i spodnie w kratkę – nabył w całkiem innym sklepie albo na targu starzyzną. Z tym, że spodnie miał wyprasowane w nienaganny kant, a buty wyglansowane.

Ledwie zaczęłam podśpiewywać zaszyfrowaną piosenkę, staruszek – mimo podeszłego wieku prosty jak struna – zasalutował mi jak oficerowi i rzekł: „A byłaś grzeczna dla mamusi, moja panno?" – co tu oznacza: „Mam dla pani wiadomość". Udzieliłam mu na to zaszyfrowanej odpowiedzi: „Spytajmy raczej, czy ona była grzeczna dla mnie" – na co otrzymałam kartkę następującej treści:

Czyś w dostatku, czy w potrzebie
Mamy miejsce tu dla Ciebie
Dzwonek znajdziesz z boku bramy
Wstąp do środka, zapraszamy!

Szanowny Panie Snicket!
Zdając sobie sprawę z ryzyka, jakim jest
pisanie do Pana, uważamy za swój obowiązek
poinformować, że ktoś z pomocników O
przebrany za krowę, wypytywał nas ostatnio
o gady dr. Montgomery'ego. Prosimy się nie
niepokoić – nie wspomnieliśmy ani słowem
o swoim udziale w incydencie z
Niewiarygodnie Jadowitą Żmiją. Obawiamy
się jednak, że ten ktoś przebrany za
krowę może narobić zamieszania w
Wielkomiejskich Zakładach Serowarskich.
„U nas zawsie cicho, sza".

ROZDZIAŁ DZIESIĄTY

~~Ilu asystentów ma Hrabia Olaf?~~

Co może kryć się w książce?

Drogi Ser!

Z oczywistych powodów nie wspominałem dotąd o swoim notesie w okładce zielonej jak te domy, których dawno już nie ma. Notes ten służy mi jako księga cytatów, co tu oznacza: „fragmentów najważniejszych książek, które przeczytałem". W cytatach owych kryją się najistotniejsze sekrety tego smutnego i łatwopalnego świata. Z bólem serca wyrywam je oto z mojego zielonego notesu, gdyż dalsze przechowywanie ich tam stało się niebezpieczne.

Z całym należnym szacunkiem

Lemony Snicket

UWAGA:
Z różnych powodów fragmenty niniejszego rozdziału zostały przeinaczone bądź całkiem zmyślone, również to zdanie.

wypusz-
tak, gdy kolejni
teatralnej wkraczali do
kuchni. Niebawem całe pomieszczenie zapełniły dziwaczne postacie różnych kształtów i rozmiarów. Był wśród nich łysy mężczyzna z bardzo długim nosem, przyodziany w długą czarną togę. Były dwie kobiety o twarzach całkowicie pokrytych kredowobiałym pudrem, co nadawało im wygląd duchów. Za kobietami stał mężczyzna, który miał bardzo długie i bardzo chude ręce, a na ich końcach – zamiast dłoni – dwa haki.

* SERIA NIEFORTUNNYCH ZDARZEŃ *

Była też niesamowicie gruba osoba, która nie wyglądała ani na mężczyznę, ani na kobietę. Za plecami tej osoby, w drzwiach kuchni, tłoczyły się jeszcze inne postacie, niewidoczne dla dzieci, ale na pewno równie przerażające.

Lemony Snicket, *Przykry początek* (Egmont, 2002), s. 53-54.

Rozdział 6

w którym Iwan Łzawy coś przekąsza

NIECO później tego samego dnia Iwan Łzawy zgłodniał i postanowił coś przekąsić.

– Zgłodniałem – powiedział sobie. – Trzeba coś przekąsić.

Opuścił sypialnię, gdzie właśnie słał łóżko, i oddalił się korytarzem. Na końcu korytarza znajdowały się drzwi. Otworzył je i otworem drzwiowym wszedł do kuchni.

– I oto jestem w kuchni – powiedział sobie. – Nie mogłem lepiej trafić w poszukiwaniu przekąski. Otworzę pierwszą szafkę z brzegu i sprawdzę, czy nie zawiera ona jakiejś apetycznej przekąski.

Otworzył pierwszą szafkę z brzegu. Stała w niej mąka pszenna.

– Nie mam ochoty przekąsić mąki pszennej – powiedział sobie. – Otworzę drugą szafkę z brzegu i sprawdzę, czy nie zawiera ona jakiejś apetycznej przekąski.

Otworzył drugą szafkę z brzegu. Stały w niej płatki owsiane.

– Nie mam ochoty przekąsić płatków owsianych – powiedział sobie. – Otworzę trzecią szafkę z brzegu i sprawdzę, czy nie zawiera ona jakiejś apetycznej przekąski.

W trzeciej szafce była melasa. Mam nadzieję, że książka okazała się dostatecznie nudna i nikt nie doczytał jej do tego miejsca. Ta zniechęcająca biografia nie została bowiem napisana do czytania. Napisana została po to, aby między jej stronicami – a konkretnie, między str. 302 a str. 303 – ukryć wielkiej wagi dokumenty. Jeśli więc tak się złożyło, że ktoś

302

czyta tę książkę dla przyjemności, a nie celem znalezienia w niej wielkiej wagi dokumentów, to niech mi będzie wolno przeprosić za to, że jest taka nudna.

– Nie mam ochoty przekąsić melasy – powiedział sobie. – Otworzę czwartą szafkę z brzegu i sprawdzę, czy nie zawiera ona jakiejś apetycznej przekąski.

Vincent Francis Doyle, *Iwan Łzawy – badacz jeziora* (Wydawnictwo zmyślonych Smutków), s. 302–303.

gdy melodia ucichła, odwróciła się i stanęła oko w oko ze staruszkiem ze schludnie przystrzyżoną siwą czupryną i podkręconym wąsem. Ubrany był tak, jakby każdy element stroju - koszulę w kwiatki, krawat w paski, tweedową marynarkę i spodnie w kratkę - nabył w całkiem innym sklepie albo na targu starzyzną. Z tym, że spodnie miał wyprasowane w nienaganny kant, a buty wyglansowane.

Ledwie zaczęłam podśpiewywać zaszyfrowaną piosenkę, staruszek - mimo podeszłego wieku prosty jak struna - zasalutował Ramonie jak oficerowi i rzekł: „A byłaś grzeczna dla mamusi, moja panno?".

Beverly Cleary, Ramona Quimby, lat osiem (Harper Trophy, 1997), s. 177-178.

FOTOREPORTAŻ Z UBIEGŁOROCZNEJ AUKCJI RZECZY MODNYCH (*ciąg dalszy*):

Klub Miłośników Esmeraldy Szpetnej z dumą prezentuje Mambę Złą.

Właścicielem słynnej żmii był uprzednio

Dr Montgomery Montgomery, który zginął w wypadku,

o czym donosił „Dziennik Punctilio".

Dziś martwa i atrakcyjnie oprawiona w ramkę żmija stała się

przedmiotem rywalizacji kilku niezidentyfikowanych licytatorów.

Panie miały szczęście i wygrały!

Katalog Domu Aukcyjnego Rzeczy Modnych (Wydawnictwo Zacny Styl), s. 78.

Zombi na śniegu to film tak dziwaczny i pełen niezgrabnych dialogów,
że zastanawiamy się, czy istotnie nakręcono go dla rozrywki, czy też
raczej do przekazania jakiegoś szyfru.

Lena Pukalie, *Zgubiłam coś w kinie*
(wydawnictwo Zagadki sztuki),
s. 302–303.

Klaus podszedł do sterty książek i otworzył pierwszą z góry. Ważne miejsce miał zaznaczone karteczką, więc znalazł je od razu.

– „Mamba Zła jest jedną z najgroźniejszych żmij na naszej półkuli. Atakuje przez strangulację, która w koniunkcji z jadem nadaje ciału ofiary charakterystyczny czarnosiny tonus i upiorny wygląd".

Klaus odłożył książkę i zwrócił się do pana Poe.

Lemony Snicket, Gabinet gadów (Egmont, 2002), s. 181.

Mamba Zła jest jedną z najgroźniejszych żmij na naszej półkuli. Atakuje przez strangulację, która w koniunk-
cji z jadem nadaje ciału ofiary charakterystyczny czarnosiny
tonus i upiorny wygląd. Wdzięcznym obiektem do badań
jest natomiast właściwa temu gatunkowi sprawność komu-
nikacyjna. Wybrane osobniki z gatunku Mamba Zła potrafią, dzięki specjalnemu treningowi, wypowiadać całe zdania
w zakodowanym języku angielskim, co umożliwia zatrudnie-
nie ich na stanowiskach strażników ważniejszych kwater
głównych. Przykład: kiedy Mamba Zła syczy: „Jest wiosna",
komunikuje: „Wrogowie są blisko". Gdy syczy: „Wszystko
przepadło", komunikuje: „Prawdopodobnie w przebraniu".
Słyszano też, jak syczy: „Śmierć", komunikując: „Strzeż się
podpalenia". Istnieje jeszcze tylko jedno stworzenie dorów-
nujące Mambie Złej talentem komunikacyjnym, a zatem
zdolne do przekazania powyższych wiadomości – jest nim
świerszcz pospolity.

Tony „Mamuśka" Eggmonteror,
Mamba Zła: żmija, która mnie
nigdy nie zabije
(Wydawnictwo Zygmunt Et Syn), s. 169.

ył sobie kiedyś w [illegible] stary hrabia i miał syna jedynaka, który był głupi i nie mógł się niczego nauczyć. Pewnego razu ojciec rzekł do niego:

Słuchaj, mój synu, niczego nie zdołam ci wbić do głowy, choćbym nie wiem jak się starał. Muszę cię wysłać w świat i oddać na naukę do sławnego mistrza, niech on spróbuje na tobie swoich sił.

Chłopiec wyjechał do obcego miasta i spędził u owego mistrza cały rok. Po upływie dwunastu miesięcy wrócił do domu i ojciec go spytał:

– No i co, synu, czego się nauczyłeś?

– Ojcze, nauczyłem się rozumieć szczekanie psów – odparł syn.

– Na litość boską! – krzyknął ojciec – I to wszystko, czegoś się nauczył? Teraz poślę cię do innego miasta i do innego mistrza.

Chłopiec znów wyjechał i u nowego mistrza przebywał również cały rok. Gdy wrócił, ojciec zadał mu to samo pytanie:

– Mój synu, czegoś się nauczył?

A syn odrzekł:

– Ojcze, nauczyłem się rozumieć mowę ptaków.

Ojciec wpadł w gniew i zawołał:

– Ach, ty nicponiu, straciłeś tyle cennego czasu i niczego się nie nauczyłeś, a teraz śmiesz mi się pokazać na oczy! Poślę cię do jeszcze jednego mistrza, ale jeśli i tym razem niczego się nie nauczysz, wyrzeknę się ciebie.

U trzeciego mistrza chłopiec też spędził cały rok, a kiedy wrócił do domu i ojciec go zapytał: – Mój synu, czegoś się nauczył? – odpowiedział:

– Kochany ojcze, przez ten rok nauczyłem się rozumieć, co skrzeczą żaby.

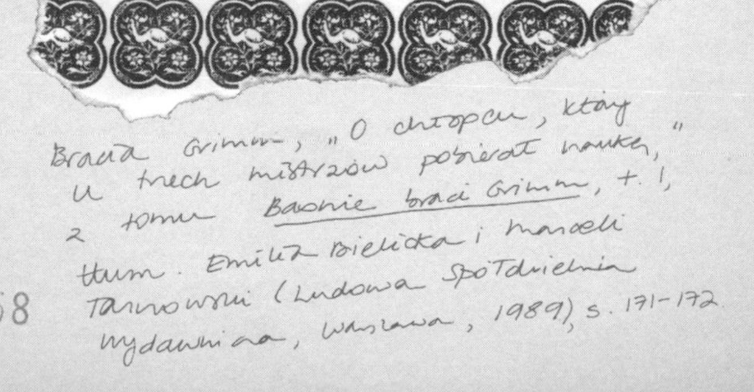

Bracia Grimm, „O chłopcu, który u trzech mistrzów pobierał nauki," z tomu Baśnie braci Grimm, t. 1, tłum. Emilia Bielicka i Marceli Tarnowski (Ludowa Spółdzielnia Wydawnicza, Warszawa, 1989), s. 171-172

Nocą, gdy Laura budziła się w łóżku na kółkach, zaczynała nasłuchiwać, lecz nie mogła nic usłyszeć prócz szelestu drzew. Czasami w nocy, gdzieś daleko, wył wilk. Potem podchodził bliżej i znowu wył.

Laura Ingalls Wilder, _Mały domek w Wielkich Lasach_, tłum. Małgorzata Goraj (Nasza Księgarnia, Warszawa 1991), s. 6.

Akurat na tym weselu wyjątkowo chciałem być obecny i tuż po otrzymaniu zaproszenia byłem xxxx prawie pewien, że zdołam wybrać się...

J. D. Salinger, „Dla Esmeraldy z miłością i nędzą" [sic: „Dla Esmeraldy drogiej chociaż szpetnej,"] z tomu _Dziewięć opowiadań_ (Mały Brązowy Kapturek, 1954, 2000), s. 87.

Słuchaj! Weselny dzwoni dzwon –
Złoty dzwon!
Jakąż harmonię, jakie szczęście
Głosi on!

Edgar Allan Poe, „Dzwon", 2 tomu Zaszyfrowane poezje Edgara Allana Poe, s. 495.

Nasze unikalne „szmaragdowe drewno" służyło przez wiele lat licznym organizacjom do budowy kwater głównych. Z niego też powstały nieliczne zielone domy, m.in. rezydencje Snicketów, Bagiennych i Baudelaire'ów.

Sir, Historia Tartaku Szczęsna Woń

Bibliotekarzem w mojej szkole, gdzie byłam najlepszą uczennicą na świecie, był staruszek ze schludnie przystrzyżoną siwą czupryną i podkręconym wąsem. Ubierał się tak, jakby każdy element stroju – koszulę w kwiatki, krawat w paski, tweedową marynarkę i spodnie w kratkę – nabył w całkiem innym sklepie albo na targu starzyzną. Z tym, że spodnie miał wyprasowane w nienaganny kant, a buty wyglansowane.

Ledwie zaczęłam podśpiewywać zaszyfrowaną piosenkę, staruszek – mimo podeszłego wieku prosty jak struna – zasalutował Ramonie jak oficerowi i rzekł:

– A byłaś grzeczna dla mamusi, moja panno?

– Spadaj gnojku – powiedziałam. – Twój

Karmelita Plujko, _Ja: kompletnie autoryzowana autobiografia najładniejszej, najmądrzejszej, najsympatyczniejszej dziewczynki na świecie_ (Wydawnictwo Bezczelny Smarkacz), s. 793.

Rozdział XV

ŚWIERSZCZE

W TRAWIE grały świerszcze. Śpiewały smutną i monotonną pieśń o końcu lata.

– Lato przeminęło i odchodzi – śpiewały. – Przeminęło, odchodzi, przeminęło, odchodzi. Lato umiera, umiera.

Świerszcze czuły, że trzeba wszystkim udzielić ostrzeżenia: lato nie może wiecznie trwać. Nawet podczas najpiękniejszych dni roku, kiedy lato przemienia się w jesień, świerszcze roznoszą pogłoski o smutku i zmianie.

E.B. White, Pajęczyna Szarloty, tłum. Ryszarda Jaworska (Prószyński i S-ka, 1998), s. 105

Napawa mnie to wielkim smutkiem, że wykonanie zadania zabrało znacznie więcej czasu, niż przewidywałem dla jego realizacji... Zaciemniona komnata, której istnienia w tym dobrze znanym domu nikt nie podejrzewał... umeblowana jedynie w hebanowy postument... rzeźbiony w kwiaty i liście, z wijącą się pośród nich żmiją... wreszcie garstka tajemniczych popiołów - to było wszystko, co składało się na nieopowiedziany rozdział z życia mężczyzny - wszystko, co pozostało do dyspozycji wyobraźni.

W.H. Hudson, *Zielone domy* (gutte, lner i S-ka, 1904), s. 9.

Słuchaj! Żałobny dzwoni dzwon!
Czarny dzwon"
Jakąż udrękę, jaką trwogę
Głosi on!

Edgar Allan Poe, „Dzwon", z tomu *Zaszyfrowane poezje Edgara Allana Poe*, s. 495.

– Uwielbiam dźwięk dzwonków! – powiedział najmniejsz
elf do nowych przyjaciół z lasu. – Dzwonki są takie dźwięczne!
– Jasne, że dźwięczne – odparła znudzonym tonem żmija. –
Dlatego przecież są dzwonkami.

Monty Kenside,
Najmniejszy elf, s. $7\frac{1}{2}$.

Typy / długi nos 1

bladolice 2

Łakomczki 1

osoba niewiadomej płci / otyła 1

grupa postaci, których oczy nie widziały 7?

Dywan trawy 1

Klub Miłośników Esmeraldy szpetnej 14

(+ kto nosił zdjęcia?)

„Wyganiani są w pobliżu" 6?

stary hrabia 1

syn jedynak 1

mistrzowie 3

Lena Pukalie 1?

„Z życia mężczyzny" 1?

Całkowita suma asystentów Olaf na dzień dzisiejszy:

co najmniej (25)

może przekraczać (41)

Hal!

Załączone pisma umieść w aktach Baudelaire'ów, chociaż sygnowane są nazwiskiem Snicket. Zdaje się, że to próbne wersje pierwszego zdania dość ponurej książki dla dzieci.

Z całym należnym szacunkiem

Babs

Babs

Historia mojego życia, jak historie życia większości ludzi, zaczyna się od wczesnego dzieciństwa.

Dawno, dawno temu żył sobie młody człowiek, którego uprowadzono podstępnie z rodzinnego domu, aby wcielić go do szlachetnej organizacji. Tak przynajmniej sądziłem.

Historia ta jest tak przygnębiająca, że nic dziwnego, iż nie opisał jej na swoich łamach „Dziennik Punctilio”.

Nie czytaj tego.

Chciałbym, aby ta książka mogła zaczynać się słowami: Dawno, dawno temu, gdy przeminęło moje burzliwe, lecz emocjonujące dzieciństwo, spotkałem pewną kobietę, pokochałem ją i żyliśmy razem długo i szczęśliwie.

Dawno, dawno temu, gdy przeminęło moje burzliwe, lecz emocjonujące dzieciństwo, spotkałem pewną kobietę, pokochałem ją i nigdy już nie żyłem szczęśliwie.

~~Wiele lat po niefortunnym zwrocie kolei mojego losu trójka dzieci wybrała się na wycieczkę na Piaszczystą Plażę.~~

~~Piszę to z płaczem, a i wy płakać będziecie niebawem, czytając te słowa.~~

~~Może i ty pewnego dnia usłyszałeś dziwny odgłos za oknem, a rodzice powiedzieli ci, że to nic.~~

~~Błagam, nie czytaj tego.~~

~~Jeśli interesują cię historie ze szczęśliwym zakończeniem, zostaw to.~~

~~Jeśli interesują cię historie ze szczęśliwym zakończeniem, to marny twój los.~~

Jeśli interesują cię historie ze szczęśliwym zakończeniem, lepiej poczytaj sobie coś innego.

ROZDZIAŁ JEDENASTY

Dlaczego tak wiele rzeczy idzie z dymem?

~~Czy rodzice Baudelaire'ów naprawdę nie żyją?~~

Uwaga: Baudelaire'owie nie są pochowani tutaj.

Ani tutaj.

USŁUGI ARTYSTYCZNE HELQUISTA

Szanowny Panie Snicket!

Z wielką przykrością zawiadamiam, że przybyłem zbyt późno, aby sporządzić jakiekolwiek szkice, które uratowałyby Pańskie dobre imię lub dostarczyły informacji o ocalałej osobie lub osobach, których istnienie Pan podejrzewa. Zanim Ochotnicza Straż Pożarna udzieliła mi zgody na inspekcję pogorzeliska, cały budynek był już właściwie zniszczony. Spróbowałem przysiąść na chwilę i naszkicować przedmioty leżące w zgliszczach – szklaną butelkę, fragmenty fortepianu, kilka zwęglonych kawałków zielonego drewna, pozostałości serwisu do herbaty – jednak dławił mnie dym, tak że musiałem przejść na drugą stronę ulicy, skąd wykonałem zamieszczony rysunek.

„Dziennik Punctilio" nigdy nie wydawał mi się pismem godnym zaufania, więc boję się myśleć, jak zostanie w nim zrelacjonowana ta straszna tragedia. Nigdy nie wierzyłem w to, co o Panu wypisują, Panie Snicket, czy to w związku ze sprawą Bagiennych, czy z jakąkolwiek inną. Z niecierpliwością oczekuję spotkania z Panem i rozmowy o tym, czy moje zdolności ilustratorskie mogą przyczynić się do wydobycia prawdy na światło dzienne.

Do zobaczenia w mleczarni. Tyle już opowieści poszło z dymem, Panie Snicket. Miejmy nadzieję, że tę spotka inny los.

Brett Helquist

Z całym należnym szacunkiem
Brett Helquist

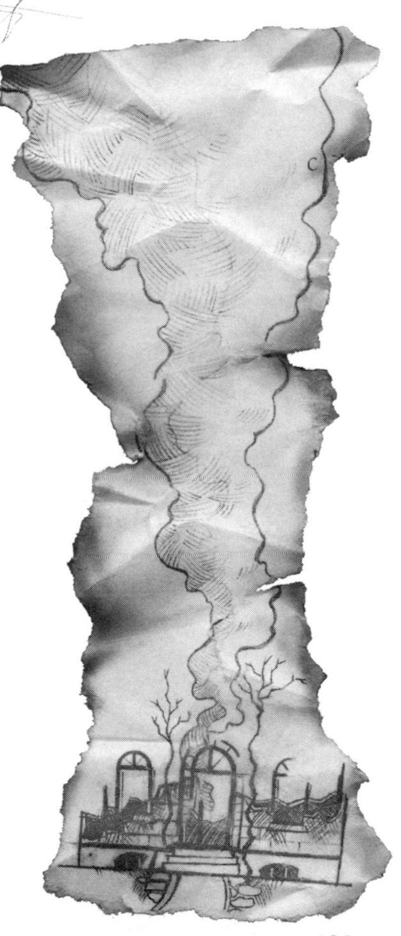

POŻAR W MLECZARNI

Wielkomiejska Wytwórnia Serów spłonęła wczorajszej nocy podczas gwałtownej burzy. Detektyw Smith po przybyciu na miejsce zdarzenia stwierdził, że pożar był dziełem przypadku, wbrew pogłoskom o podejrzanej krowie, wałęsającej się w okolicy mleczarni. „To kolejna sprawa, którą udało nam się rozwiązać bez pomocy wolontariuszy" – skomentował detektyw. Reporterzy „Dziennika Punctilio" nie uzyskali pozwolenia na wizję lokalną, otrzymali jedynie od detektywa Smitha zamieszczony obok rysunek. „Rysunek ten znaleziono w stercie papierów ocalałych z pożaru" – wyjaśnił Smith. „Podejrzewam, że narysowano go w trakcie pożaru".

ZAŁĄCZNIK DO AKT:
Zdjęcie Wielkomiejskiej Wytwórni Serów, wykonane przez Meredith Heuer, która przeprasza za wady techniczne, spowodowane burzą szalejącą minionej nocy.

ROZDZIAŁ DWUNASTY

~~Czy ofiarny obywatel~~

~~może zrobić cokolwiek,~~

aby ~~pomóc sierotom Baudelaire?~~

jeżeli nic tam nie ma,
to co to był za hałas?

NAJRZADZIEJ ZADAWANE PYTANIA O WZS

1. Jak można stać się wolontariuszem waszej organizacji?

Od czasu schizmy nasze kontakty z nowymi wolontariuszami stały się znacznie utrudnione. Bardzo możliwe, że już zwracano się do Ciebie z ofertą członkostwa, tylko tego nie zauważyłeś. Może kelner w restauracji powiedział do Ciebie coś dziwnego. Może bibliotekarz zadał Ci pytanie o uprzejmość wobec matki, a może matka spytała Cię o bibliotekarza. Może nauczycielka zaproponowała Ci listę lektur zawierających zaszyfrowane wiadomości, a może spostrzegłeś wiadomość dla siebie w starej gazecie zamiatanej wiatrem po okolicy. Może taksówkarz pokazał Ci fotografię nieznajomych osób, a może oglądając własne zdjęcie, zauważyłeś w tle osoby, których nie udało

Ci się rozpoznać. Może toreador przyniósł Ci telegram, a może komoda szepnęła coś do Ciebie, gdy sądziłeś, że jesteś sam, albo może znalazłeś się na statku, w samolocie, w autobusie lub w samochodzie, który odjechał za wcześnie, za późno albo dokładnie o czasie.

Jeżeli sądzisz, że kontaktowano się z Tobą, i chcesz zostać wolontariuszem, radzimy Ci założyć księgę cytatów, czyli notes do przepisywania fragmentów książek, które wydają Ci się zaszyfrowane. W tym samym notesie rejestrować możesz własne obserwacje o zdarzeniach podejrzanych, niefortunnych lub wyjątkowo nudnych. Księgę cytatów przechowuj w bezpiecznym miejscu, na przykład pod łóżkiem albo w pobliskiej mleczarni.

2. Jak zacznie się mój wolontariat?

W dniu oficjalnego przystąpienia do organizacji usłyszysz dziwny odgłos za oknem. Może on przypominać wycie wilka, krakanie kruka, syk żmii, cykanie świerszcza, warkot samochodu, stukot maszyny do pisania, pstryk zapalanej zapałki albo szelest odwracanej stronicy. Odgłos rozlegnie się w nocy albo w godzinach przedpołudniowych, albo (niezmiernie rzadko) późnym popołudniem. Spytaj wtedy rodziców, co to był za odgłos. Jeśli ci odpowiedzą: „to nic", poznasz, że mówią szyfrem, ponieważ nie jest możliwe, aby za oknem znajdowało się „nic". Jeżeli pragniesz zostać wolontariuszem, odpowiedz rodzicom następującym pytaniem: „Skoro tam nie ma nic, to co to był za odgłos?". Będziemy podsłuchiwać tę wymianę zdań i po niej poznamy, czy można bezpiecznie działać.

Uwaga: Jeżeli nie masz rodziców, skontaktujemy się z Tobą w sposób bardziej bezpośredni.

3. Czy muszę zrobić sobie tatuaż?

To już niepotrzebne. Od czasu schizmy uznaliśmy, że nieroztropnie jest oznaczać się trwałym symbolem, skoro ten symbol może w każdej chwili ulec zmianie.

4. Jak długo nie będę się widzieć z rodzicami?

Kochana siostro!

Zdaję sobie sprawę z tragizmu naszej sytuacji, ale wystarczająco przykre jest już to, że ludzie muszą czytać o sierotach Baudelaire. Nie wyobrażam sobie takiego świata, który odważyłby się im pomóc.

Z całym należnym szacunkiem

Lemony Snicket

Zapadła długa cisza, w trakcie której uświadomiłem sobie, że dziwny nieznajomy zakończył wreszcie swoją zagmatwaną i niepokojącą opowieść. Nie mówiąc już ani słowa więcej, wręczył mi ten oto plik materiałów, który wam teraz przekazuję.

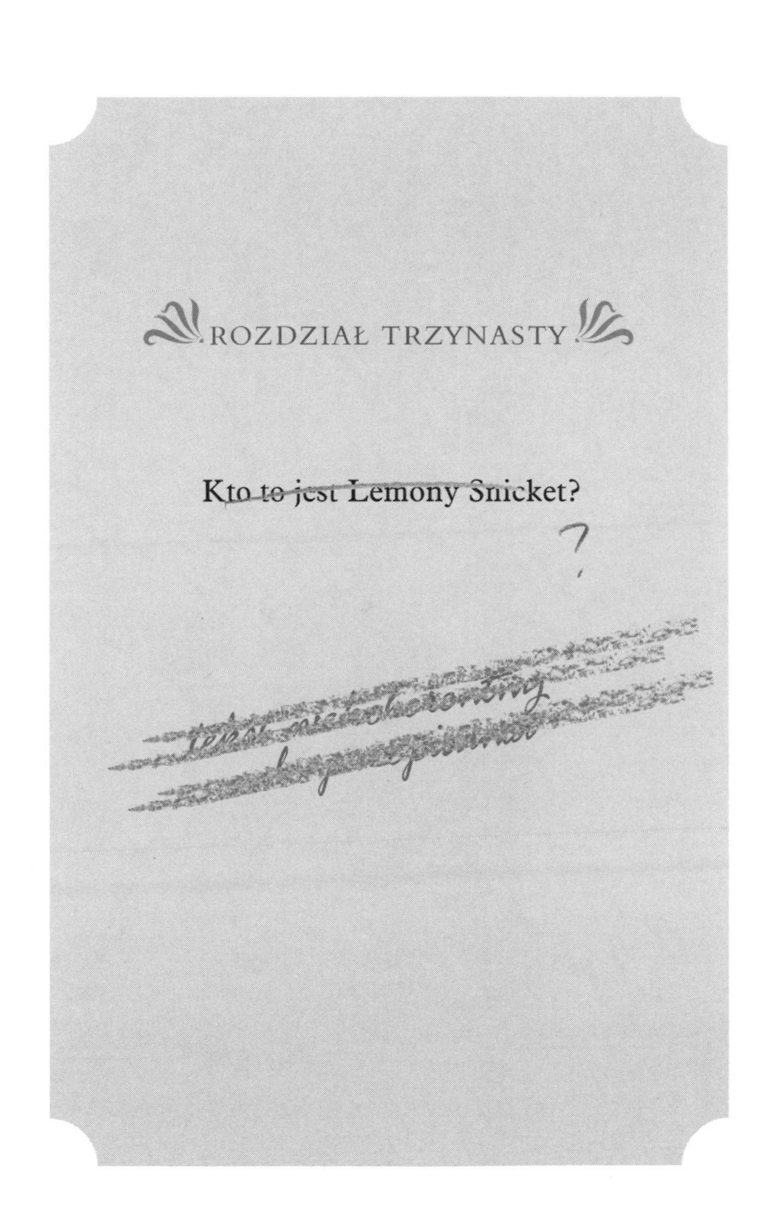

ROZDZIAŁ TRZYNASTY

Kto to jest Lemony Snicket?

?

B.
A.
C.
A. miejsce pobytu nieznane
B. miejsce pobytu nieciekawe
C. Klan Snicketów

G.
H.
I.
J.
K.
L.
D.
E.
M.
F.
N.
O.
Drzewo
Genealogiczne
W.
wolontariu

Wielka (?) Brytania

 Spóźniłem się - już to usunęli.

Okazało się, że nad apartamentem na ostatnim piętrze jest jeszcze jedno piętro.

...płakał bez przerwy przez dziewięć dni.

...nie mógł być obecny w tym samym czasie.

...wyjątkowo zdeterminowany szofer.

...nie mógł być obecny w tym samym czasie.

Po schizmie.

Miałem wrażenie, że jeden z samochodów zachowuje się dziwnie

Jeśli tam nie ma nic,

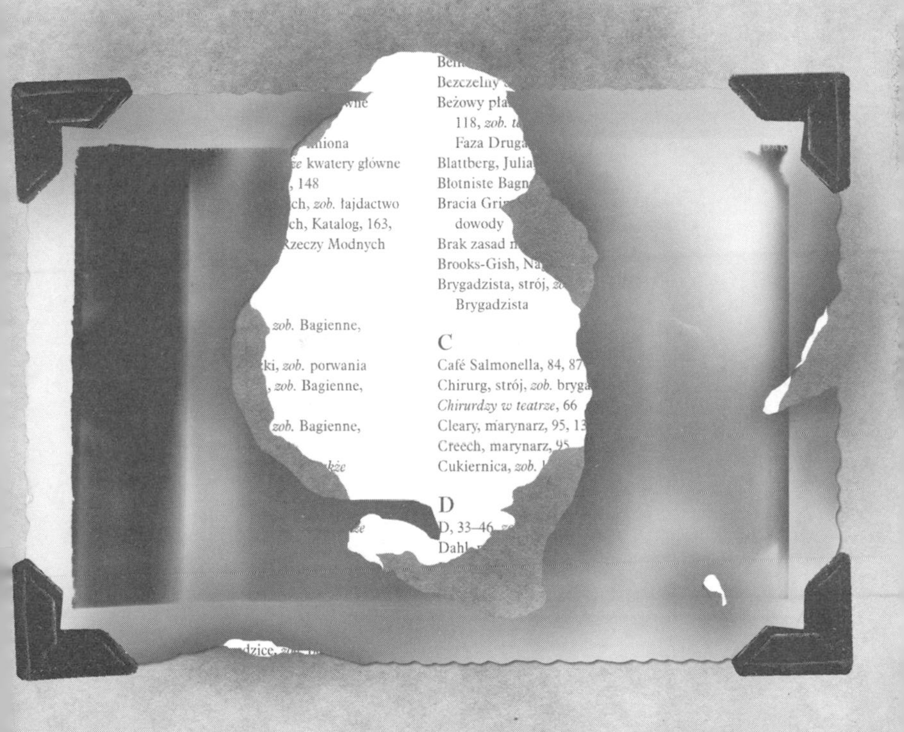

kwatery główne
, 148
ch, zob. łajdactwo
ch, Katalog, 163,
Rzeczy Modnych
zob. Bagienne,
ki, zob. porwania
, zob. Bagienne,
zob. Bagienne,
Bezczelny
Beżowy pła
118, zob.
Faza Druga
Blattberg, Julia
Błotniste Bagn
Bracia Gri
dowody
Brak zasad
Brooks-Gish, Na
Brygadzista, strój,
Brygadzista
C
Café Salmonella, 84, 87
Chirurg, strój, zob. bryga
Chirurdzy w teatrze, 66
Cleary, marynarz, 95, 13
Creech, marynarz, 95
Cukiernica, zob.
D
D, 33–46

INDEKS

P

R

S

Ś

T

U